W9-CXP-736

四季報投資系列

2

移民上海

我的台灣經驗遇上海派作風

陳彬　著

商訊文化

目錄

後記 認識上海放眼大陸

社會結構／灰色地帶／灰色的關係／大陸人看不起台胞／明白自己的處境／尊重上海、博得尊重／如何尊重上海人

自序

《移民上海》是繼《我的上海經驗》之後，更詳盡的投資、定居大陸實務指南。

回顧大陸十年經商生涯的《我的上海經驗》發行之後，受到有迫切需要者的熱烈反應，半年之內銷售了一萬冊，出版社告訴我，光是中正機場一家店就賣了一千多本，同時，李敖祕密書房、台北之音、遠東經濟評論、美國之音、海基會、電機電子同業公會等單位紛紛邀約，希望我提供最實際的大陸投資、定居、深造指引，靜宜大學企管系甚至將拙著作為教材。這種熱況，確實出乎筆者與出版商的預料。

工商時報商訊文化事業轉來不少讀者來函，希望我繼入門等級的《我的上海經驗》之後，寫一本進階深入上海、大陸環境的書，要「具有實用性」、「貼近讀者需要」、「不打高空」、「有評論亦有實務」。在上海住了十年多，我經營工廠、開過店、安排孩子來上海唸書、購屋置產、也看著許多台灣朋友在上海結婚生子，實用、實務的經驗俯拾即是，這些最真實的例子彙整之後，成為這本綜合了上海民情、投資、居住與就學環境的《移民上海》。

經濟部公佈的八十九年七月份工業產值統計，製造業二十二個業別中，竟然有十四個產業是衰退的，只有電子業一枝獨秀佔了總產值三成。然而，電子業整體雇用不到一〇％勞工，除了這些人不用害怕失業之外，其餘產業的從業人員都在擔心飯碗不保，因為公司面臨非去大陸投資不可的境地，不想去大陸就任的人只有降薪調職、或是提早退休。

行政院主計處公佈，八十九年七月台灣地區失業率因為傳統產業景氣仍在谷底，加上畢業生爭搶就業市場，粥少僧多，失業率超過三％，人數達到三十萬人。由此推估，受失業影響的人數已經超過六十萬，其中最讓政府與社會頭皮發麻的是，負擔家計的中年失業人，佔了待業人口大部分。

中年失業，已經是台灣的大問題，他們很難轉進最景氣的電子業，想投資、學習新技術經營電子業，面對動輒數十億、百億的投資門檻，像聯電集團三年投資三千七百億的手筆就更不用提了，他們面對轉業、換軌道時只有卻步。轉戰大陸發揮餘熱，利用既有的專長能力，這是中年老闆與就業人口的最佳選擇，其實也是唯一的去路。

投資大陸、移民上海、福建、廣東，將會是上百萬台灣人的未來發展方向，因此，我不再花費任何篇幅贅述台灣人為何出走，直接提供「移民上海」的經驗與門徑，作為大家定居彼岸的指南。

「到上海買房子」，這是定居上海的第一步。島內房市行情低迷，許多台灣民眾想在大陸、在上海購屋置產，而投資者的第一步則是買廠房買店面。然而，台灣房地產的投資炒作經驗，用在大陸可行嗎？本章從環境演變的角度切入，可以大致解答有關房地產、廠房、店面、專櫃投資者的疑惑。

「上海人的灰色錢包」，用灰色形容上海人的所得來源，提醒大家，不能輕忽上海人、大陸人的收入，不要以為他們沒錢而看不起大陸人。不要以為關係、人脈就是投資的成功保證書。想用錢打通關節，就等於一開始即種下失敗的因子。

「讀書深造去大陸」，愈來愈多的台灣人去大陸唸大學、研究所，台商子女在大陸受教育的數量更是激增，形成的複雜社會問題與後遺症，將是繼投資設廠之後，成為兩岸關係中最難解決的一環，政府的規定將迫使台灣人根留大陸，原因何在？我以親身的經歷為例，呼籲政府與台商儘早重視與規劃因應。

「愛人是上海人」，內政部入出境管理局每年三千六百名大陸配偶來台定居的配額，已經排隊到民國九十八年。顯然，兩岸人民聯姻的數目已經超過五萬對，台灣人娶大陸妹的數目只會逐年增加，政府之間不能通郵、通商、通航，民間已經強先實行了第四通——通婚。本章以大陸人的觀點看兩岸人民通婚，娶上海美女真的幸福嗎？

「上海小老婆」，這是台商包二奶的真相剖析。台灣商人包養大陸小老婆，這檔子傳聞消息多到讓人心驚，各種婚姻諮商與民事法律專家的統計、調查結果儘管失之聳動嘩眾、恐嚇誇大，但眾多台商在大陸「進出」當地女性，卻是不爭的事實。本章是我周遭發生的實例，剖析台商為何難逃大陸脂粉陣，有何良方可對付老公包二奶？

定居上海，少不得在上海消費、休閒，「海派生活、流汗的正確方法」諸篇章，說明的就是在上海居住所需要的正確消費觀，如何善用休閒養精蓄銳，使上海生活安適。很多人的大陸事業失敗，源於不懂得正確休閒娛樂，不只荷包沒有看緊，還落得傷身與浪費時間，被應酬、娛樂給拖垮了。「台式海派」篇章，讀者可以自己省思，是否做了上海人眼中的巴子而不自知。

大陸市場是個菱形結構的社會，台商在形形色色的大陸人包圍之中，處境有如身在漩渦，我在「後記」當中，提醒台灣人認清自己的地位、大陸人看待台胞的心態，在這個時時變動的環境中，才能保得人身安全，事業穩當。

不自大，尊重大陸社會結構，尊重中國的機制，尊重大陸人、上海人，以尊重的心態看待異地的風俗，相信可以減少投資、定居時的風險與不必要的麻煩。大陸太大了，我不可能將所有定居、投資時該注意的事項，列舉說明的面面俱到，但十多年的異鄉生活，還是有很多經驗值得回味，可以與嚮往上海灘的人分享。

第一章

到上海買房子

「台灣人可以買上海的房子嗎？上海的房子值得買嗎？怎麼買？上海的房子有沒有可以開公司又可以住人的？上海的店面的行情怎麼樣？租金的行情，聽說很高，比台灣還高，可以買店面來投資嗎？」

「台灣人可以買大陸的房子嗎？現在買大陸的房子，有沒有保障？會不會被沒收？武漢的親戚叫我用他當人頭戶來買房子，可以嗎？」

「我是南京人，想在南京買房子，要用什麼方式買？」

在大陸一待十年多，期間已經有數不清的朋友同學和讀者，不斷的向我提出種種有關大陸的問題，其中有關買房子的最多。我很好奇，為什麼特別關心房事？特別是上海地區，要買的、要租的、問地段要行情的特別多，好像把我當成房地產諮詢家似的。反問得到的答案，也讓我特別的意外，有意在上海購屋的人，半數以上的置產理由，竟然是：萬一飛彈從大陸打出來，台灣不能待，上海離台灣比較遠，台灣的飛彈打上海可能投鼠忌器，這個離開南中國海有一段距離的經濟重鎮應該是最安全的地方。

有些人提到捐醫院的尹衍樑先生，說他在上海住得很舒服，想在上海買房子。也有些人根據報紙問：徐楓在上海住千坪大別墅，是否真的？貴不貴？聽說在上海五百萬就可以住別墅，他也想買，以實現擁有別墅的夢。

有的人想在大陸買房子的緣由，實在讓人同情。我上電台叩應節目的時候，有位年齡一定很大的老先生，竟然在電話那頭心急結巴地說，他在湖北某某地方的兒子，要他馬上寄二十萬人民幣買下房子，不然房子會被別人搶走，電話天天催，二十萬要不要馬上寄？有沒有解決的辦法？

諸如此類，有正經八百的，有沒頭沒腦的，有些地名我連聽都沒聽過，許多聽眾和我非親非故，卻要我幫他做決定。有老兵辛苦一輩子的積蓄被家鄉親人搾乾，實在令人同情，也有無聊到想在大陸做寓公當大爺的，搞不清楚目的在哪裡的……。

問題五花八門，由此可見，在大陸買房購屋，沒有熟悉的常識可運用，沒有資料可套用參考，很多人為了大陸的房事而煩惱。

「上海的房子能不能買？」回答這個問題前，先提供我及幾個台商朋友的實例供大家參考。

我一九九一年在上海敲定了一筆合資案，一則常見因班機的誤點導致訂房被取消，二則因南京西路上的波特曼酒店，三個月內的房價竟由四十餘美元漲一倍至八十餘美元，眼見如此多的外商湧入上海，依經驗法則分析，認定上海的房子鐵定值得買。於是我在九二年三月，以每平方米八〇六美元的高價，總價近九萬美元，買下面積一一〇平方米的二房一廳、位於徐家匯漕西北路上玉蘭花苑僑匯房一套房子。此價格比當期商品房的價格高出約四倍。

換算一下，大約三十三坪的房子，花了我三百萬多一些。

九二年三月買，九二年七月尚未交屋前，即有仲介出價一千四百美元一平方米，要買下我的房子。沖天炮式的漲幅，出乎意料之外，租金的行情更是不可思議——月租可收一千九百美元。九三年以後，上海房屋租金的行情如同雲霄飛車，急升猛降，如下表：

	房價（美元／平方米）	租金（美元／月）
九三年	一八〇〇	二〇〇〇
九四年	二〇〇〇	二二〇〇
九四年底至九五年	二二〇〇	二五〇〇
九六年	一七〇〇	一七〇〇
九七年	一二〇〇	一一〇〇
九八年	一〇〇〇	九〇〇
九九年	八〇〇	五〇〇

註：九四年九五年為房價最高期

被房子套牢的台商

我的台商朋友葉先生，九五年以三十二萬美元買下長壽路邊的維○○花園，一百五十平方米三房兩廳，月租可收三千五百美元，到了九九年，月租一千二百美元還租不出去。

林先生，九六年於古北新區以二十八萬美元買了三房兩廳當辦公室，九九年想脫手，剩十萬美元，一氣之下不賣了。

蔡先生，九七年看房價跌幅有夠深，料想應該不會再跌，花了十二萬美元買梅瀧一百五十平方米的百○花園。九九年初，房產公司推出新優惠特價房，僅要價六萬美元，成交價格還可以商量。

張小姐最慘，她在上海買房子純粹為了投資，九六年以總價十五萬美元、自備款六萬，餘額可貸款、開發商保證包租，買了四十五平方米位於浦東新區機場邊上的辦公樓。租金貸款相抵後，每月僅需付約九百美元，五年期滿每月可坐收近一千五百美元租金。

哪知道九八年開發商通知，無法履行包租責任，貸款的本金和利息要全額支付。攤開買賣合同、包租合約，白紙黑字寫著地產商確有包租的義務，但是貸款銀行不承認包租合約，只認貸款合同，要的是還款的履約，地產商付不起，只有向所有權人追討。

張小姐才知碰上大麻煩。如果承認被套牢，坐等將來升值的可能，也就算了，問題是她還得面對每個月近二千美元的本金利息追討。更糟糕的是她沒開公司、不住在上海，這房子不可能作為自用，親自打聽租金行情，每個月跌到只剩三千人民幣，還很難租出去。房地產商不是說包租嗎？去找房地產商理論，對方擺明不怕你告——房屋賣完就解散、遇到問題先脫產，兩岸建商都一樣。

張小姐找銀行商量，要銀行出面把地產商一併告進去，想在法庭上得到較滿意的解決，可是銀行不答應，只不斷的向付得起錢的張小姐非常有耐心的每月發出催繳函，如期追、如期討。開出的還款條件是「有話好商量」，可以延長貸款的年限，允許張小姐只要繳息，本金可以慢慢還。張小姐進退兩難，始終沒有解決，也不知道將來用什麼辦法解決。

所以，問我「上海的房子可以買嗎？」，我沒有辦法做出建議，不是考倒我，實在是有太多的台商被套牢，不！應該說買的人都被套牢，只是深淺不同的程度而已。損失輕的只跌兩三成，損失重的，被腰斬不是新聞，急忙脫手拿不回三成資金的例子一大堆，在哈密路的別墅、在大〇〇花園……看得到不斷上演的例子。

如此說來，現在的上海房地產市場好像有便宜貨好撿。跌到原價的三成，應該是谷底了，再跌也有限，沒有不買的理由吧！有閒錢的人在台灣憑經驗算計，覺得投資的風險應該不大。

一廂情願的想法，錯了！首先，大陸有太多所謂「好康」的房子讓你挑任你選，真正物超所值的寥若晨星，想把這些好貨色挑出來，境外人士蒐集資訊所要花費的成本太高了。再者，你拿不到所有權狀，只有使用權。

有太多自以為聰明、以為撿到好康而被套牢的台商，數不勝數。屋款已經付清七八年多，至今還沒有拿到所有權狀，只見房價一直不停的跌，將來會怎麼樣變化沒有人算的準。台商集中地區的興〇花園、萬〇花園、大〇〇花園城、夜〇〇花園、平〇小區，如今都成了台灣人「定」居的地方，因為無法脫手。

買上海的房子，如果不計較所有權不易順利取得、不計較無從按揭（貸款）

而一次付清屋款、不計較多變的房產政策對將來的保障，倒尚未聽說有被掃地出門的案例。大陸的房子分成專供非中國籍人士購買與本國人才能買的兩種，有人為了貪便宜，借用親友的名義、特別是二奶的名義，買中國居民才有資格購買的商品房，很容易發生糾紛。

如果不放心、要計較，保證被複雜多變的產權與按揭管理政策嚇一跳。何止是台商，連專業的律師也在電視訪談的節目上公開承認，要走完一步，才能決定下一步怎麼走，怎麼去解決產權糾紛。

沒有便宜貨

以本人位於徐家匯玉蘭花苑的房子為例，九二年購買時，因為不貪便宜、不借大陸人名義，為了保障權益，我只能用美金、不能按揭，買「僑匯房」。產權證書依規定，買賣合同公證後，交了契稅、印花稅等「優惠稅負」後，於九三年取得酒紅色的土地和建物所有權狀。

九八年眼見朱鎔基總理推行住房改革政策，房產可按揭、可貸款的優惠美意，不斷的在各式媒體上出現。想想，不貸白不貸，於是申請貸款，這時我才被告知玉蘭花苑的所有權狀只能自住自有，不能上市，要綠色的大產証才能上市。

何謂上市？上市就是參與市場的交易。何謂參與？參與何種市場？就是設定抵押、貸款或買賣的市場。不能上市全文的解釋就是不能設定抵押、不能貸款、不能買賣，也就是產權持有人只能乖乖的永遠持有，不動就沒事。要動要上市就要有綠色的「大產証」才可以參與市場交易。

何謂綠色的大產証？就是已經交了含市政建設、土地批租各稅的房產證書。玉蘭花苑酒紅色的產權證書，沒有補交地價，所以也稱為「小產証」，不能享有上市的優惠。

至此，本人才發覺入主的真是「套」房，「不動產」，不能賣，不能過戶，除了住的效用外，其它的都沒有。再問下去，才知道這是九五年開始的新規定，要上市、要抵押貸款、要賣，就要換大產証才合法。酒紅色小產証變成綠色的大產証，要如何換？答案是：補交地價。地價要多少？依上海市分區分級的規定，玉蘭花苑要交的地價是一平方米兩百美元。一一〇平方米要交二萬二千美元才可以有大產証，以後就可以辦貸款、可以買賣、可以過戶。如果沒有大產証，一切免談，如果買賣不但不能過戶，也違法。

經過房地產三溫暖式大起大落，原來是幸災樂禍，慶幸自己眼光獨到，玉蘭花苑自己使用不計利息，受的傷是最輕的，可是沒想到還是栽了，栽在購屋之後溯及既往的政策上。玉蘭花苑如果賣，拿到手的不是市價的八萬多美金，而是要扣除二萬二千美金給政府，加上增值稅、印花稅，最多剩六萬多一點。本人也是套牢族之一。

所以，問我上海的房子可以買嗎?必須先搞明白下列的前提:

一、是否有不同的身分証明，如大產証、小產証。

二、是否有不同的出生証明，如外銷房、商品房、公房、私房。

外銷房即前稱的僑匯房，外國護照或外資企業才可以購買。商品房即內銷房，前幾年還有戶籍規定的限制，如今已放寬大陸人都可以購買，合資企業亦可用公司名義購買，北京和廣州已經放寬規定，允許外商用個人名義購買內銷房，上海是只聞樓梯響了好幾年，至今還不准外商以個人名義購買。這就是前述○科花園、大○○花園的一大堆台商聽了地產商、大陸親朋好友、初識的漂亮美眉、台商損友的口語傳播後，花了大筆鈔票，至今拿不到合法產權証的最大原因。

公房即單位的產權房，用白話說，就是國家的房子。私房即個人產權房，使用權雖屬於個人持有，如果交易行為發生，正確說法是讓渡使用權，而不是買賣使用權，碰上市政動遷或建設需要，同樣要搬要拆，參與補償分配的權益，就和公房使用者相同。很多賭性堅強的台商別偏好「買」這種房子，交易類似租金一次付清，賭它十年八年不拆不動就賺到了的心態，用以自住或開店面。

大陸購屋時的暗藏陷阱包括：

- 自備款依合約繳完了，才告知按揭不下來，餘額要付清才交房。
- 包租金額依當時行情、不予確定，包租的期間多半是一年、二年，但建商辦不到時罰責不明示，包租合約不主動公證等。
- 使用年限藏在色彩繽紛的說明書上，例如漕寶路某棟有游泳池、網球場、商場，如五星級酒店漂亮壯觀的商住大樓群，九九年底還沒有完工交房，即在地鐵車廂大做廣告特價促銷。但這棟大樓的使用年限不是一般常見的五十年、七十年，而是四十年，並且從九二年核准興建的第一年開始算起，最關鍵的說明只用一行小小的字藏在廣告圖案裡，二〇〇〇年屋子到手時，買主使用的年限只剩三十年。

・把商品房說成外銷房、商住房，結果只能住，不能登記為公司做辦公用途。

・故意或有意忽略管理費，管理費有高至每平方米每月人民幣十餘元的住宅大樓，比台灣還貴，亂收管理費的行為沒有一定的標準，甚至不以住、辦作收費的等級，竟用內地人與外商作不同的收費區隔，真的會氣死人！

談了一大串狀況，不是故事而是事實。我還是沒有說到大陸房子可不可以買的結論，光是圍繞在多變複雜讓人搞不清楚、將來會如何變化的問題上打轉，就可以說個三天三夜。再說幾個有關房子買賣新增加的管理政策，供讀者再參考去評估，是否決定在對岸買房子。

一、全面征收並查稽租賃所得

九八年以前，中國對房產租賃所得的征收，在稅法上是有明文規定，可是沒有人管你，縱使每月三千、五千美元的收入也不管。可是自九八年以後，為了加強征收租賃所得，竟然採取獎金制度，獎勵檢舉人勇於檢舉非自用住宅出租情況，出現了種種怪現象。

除了稅務稽查員加強稽查外，大家為了獎金，不但街道的老阿公老阿婆出動，竟連大樓的管理員也加入領取獎金的行列，大樓管理人開始關心住戶的情況，事實上是在收集領取獎金的訊息。

再者，租金再也無法用假合同去少報，官方已自動建立資料庫，多報租金當然歡迎，少報者稽查員不採信，逕行引用資料庫中的行情。

除了自住不用繳租賃所得稅以外，其他任何情形都要你繳。像是自己的房子供自己的公司使用，再多的証明文件、再多的解說都沒有用，就是要你繳稅，不繳的人就會三不五時接到官僚的拜訪，看你繳不繳。

人人爭著當稅務稽查員的結果，導致租金的行情急速拉低。例如在玉蘭花苑，同棟大樓內的房客各自為政情形下，高低差曾有近千美元的差距，可是經過這種「相互關心」的過程，冤大頭房客很快就發現真相，不是退租，就是要求降低租金，再加上供過於求的市場壓力，租金因此急速拉低，對房東而言不是好消息。

不只租金跌跌不休，房東的出租成本還隨著提高。經過近十年來眾多租房外商的交易習慣養成之後，租房附傢俱已形成風氣，早期有高租金收入當然可以支應，近年來卻因供過於求，且在眾多「線民」的比較推薦下，逼得新加入房東不得不在傢俱上做更大的投資，以求早日找到房客回收投資。

二、購屋款可用所得稅扣抵

大量閒置的空屋，對投資者固是壓力，對政府亦形成更大的壓力，不解決不行。自九八年開始，當局為了鼓勵外商購房置產，消除空屋壓力，允許外商以列舉扣除的方式，將用以購房置產的開銷拿來扣抵薪資所得稅。為了一石兩鳥，一方面對外商的薪資所得加強查核，並提高薪資所得稅率，另方面亦鼓勵用此所得去置產，有不少的台商被此法引誘而去買房子。

三、貸款有希望

香港人買大陸的房產可憑居留證向東亞、匯豐、渣打銀行辦抵押借款，在香港還本付息，新加坡人亦可向新加坡發展銀行辦理。台灣人最可憐，能夠順利取得按揭的少之又少，偏偏台灣人是最大的購房族群，大陸銀行內規的政策不鼓勵按揭給台商，為了去化餘屋，今日已經發展新的促銷辦法，即台商購房可享有房產公司分期付款，類似按揭功能的付款方式，以引誘台商置產。

要我下房子可不可以買的結論，有實質上的困難，僅是管理政策上的變化，就已經那麼複雜多變，何況將來會變得如何誰也不敢說。會不會變得對台灣人較有利、給台灣人「國民待遇」以真正落實的優惠？中南海裡的高官也不敢肯定。要買上海的房子，你得先體會以上種種的因素。自用？小心點可以買到價廉物美的樓宇；投資？看看以下的分析吧。

有用的買房原則

一、房價的走勢不樂觀

在上海媒體上接觸到最多、最大量的廣告，就是房地產的廣告。由此足以印證空屋率已經下降，銷售數字屢創新高，每年已近三十萬套等官方說法嗎？觀光旅遊的人、走馬觀花、觀察力不夠的人，沒有長駐長期觀察的人，不會發覺很多建造一半的大樓，一擺就是好幾年。很多大樓和小區造好已經好幾年，白天沒有幾個人進出，入夜後幾乎漆黑一片，只有幾戶有亮燈……。空屋率是否真的下降，我們台灣人管不著，也得不到正確的數字可參考，憑眼睛直接看到的才是真的，這麼多黑漆漆的空屋如果都有人買了，為什麼租不出去？上海房事後市是否看好，值得再觀察。

二、買房的目的要明確

是投資、是自用？租金房價比，目前的投資報酬率，尚能維持五％以上，地段、房型、內裝皆好的，投資報酬率有逾一〇%的。單以投資報酬率來考慮，尚有投資的價值，但誰能保證新屋不斷推出的情況下，租金不再下跌？更重要的是，房價不會跌，有升值的機會，這才是作寓公的正道。

投資房產作寓公，標的物升值才是真正的利基，仰仗租金收入還不如定存與保守型的有價證券。但在大陸奉行「土地國有、漲價歸公」的土地政策下，你可能每次交易都搶到便宜嗎？在網際網路e世代來臨的時候，土地不再是財富之母，知識成為最有報償的生產力的時代，可能從房地產獲得暴利嗎？是否能用台灣房地產的經驗套用在大陸，絕對是投資者必須衡量的。

至於自用，你要先想想打算住幾年？脫手的時候是否有新的管理政策出現，增加脫手的困難度及額外的費用？更重要的是進場時房價已經開始從谷底攀升，不至於讓你付出高價後看著它貶值，這樣的行情觀察，人在台灣根本不可能辦到。你應該考慮租是否比買划算。

這不是玩笑話。

上海也和台灣一樣，有交屋後就不見的「壹案」地產開發商，保固條款毫無保障，多付冤枉錢保固的例子太多了，更有蓋一半一停好幾年的。上海體育館邊上，華亭賓館對面就有一棟一停N年，可是很奧妙，售屋小姐照樣推銷，照樣接待你，每天也看得到有工人在敲在施工，裡面就套了一大堆的台商，所以不要以為國有資產公司蓋的就不會倒，品質和交屋日期就有保障。

三、向上海市政府買房子

在上海，房屋品質和交期延宕的糾紛，不停的上演著，當地人碰上了也難以解決，何況是台商，為了省麻煩，找有信譽的公司，絕對是有必要的。在上海，當然是上海市政府最大，上海市政府的直屬單位不但直接蓋房子賣，更有出錢、出地收購，承接債物接盤經營的。上海市政府事實上是最大的地產開發商，手上掌握有各式用途的房源。如果搭上掌握房源的市政府關係，直接和市政府承辦官員搭上線，可以找到比市價便宜的「交際房」可買，有特殊地段的「保留房」可買，錯不了，上海市政府就是上海最大最可靠的地產開發商。

四、爭取權益時六親不認

大陸親朋好友的建議，參考可以，不要被左右。同樣，地產商所開的承諾和該要求它的事項，不但要白紙黑字記清楚蓋大印外，更不要忘記公證的重要性。例如按揭條款，台商的要求沒有不被承諾，總是拍胸保證沒有問題。可是如期取得按揭的，有幾個人？最後吃虧被逼籌錢付清尾款，才能拿到鑰匙的是誰？按揭承諾要求公證，品質保證要求公證……，所有細節都不能疏忽，該要求的絕不放棄堅持。

五、安全擺第一

上海的治安固稱全大陸第一，亦有治安的死角，公安武警分配不均管不到的地方，亦有傳統盲流、毒蟲、車霸、路霸、車票黃牛、賭場、黃色書刊、黃色盜版ＶＣＤ……，較集中的地方，如平○小區邊、康○新村邊、彭○新村邊、大

○、宜○路、○○車站邊，都是赫赫有名的。

城中區的治安優於郊區與衛戍區，重點維護治安的標準高。在台灣想得到的居家安全概念亦適用於大陸，台灣人唯一沒有注意、不經意疏忽的是上海夏天和冬天的分別太大。夏天到上海看房子，試行交通路線，觀察周圍環境，入夜後沒有問題，甚至深夜過子時也沒有問題，可是，住進去以後才發現：冬天來臨，在零度以下的氣溫中，晚上七八點已看不到幾隻貓，應酬續攤唱完ＫＴＶ半夜回家，那種肅殺嚇人的氣氛，實在令人不舒服。回郊區的家——在冬天的半夜，有太多的台商想想之後乾脆外宿，住莘庄、閩行、嘉定的台商，對此一定心有戚戚焉。

上海治安的問題，實在一言難盡，只能建議說，多打聽多比較，白天的情況反而不重要，特別要重視進入午夜的情況。身為台商，有交際、有應酬，半夜回家的次數絕對不會少，那時段的危險係數最高，如何避免半夜惹麻煩上身，絕對要考慮列入購房的重點。

六、交通的方便性非常重要

在上海養車，不說車價、稅捐比台灣高，市區停車，每年驗車的麻煩，超出你的想像，所以對於開慣車子的朋友，我的建議是：除非業務需要、顯示身分、便於交際，除非請得起司機，沒有必要養車。上海計程車、租車的水準還算完備可以接受；地鐵、輕軌、冷氣公車如果懂得搭乘，不但節省時間，更能省下大筆養車、請司機的開支。

同樣的道理，亦可用在購房條件上。房屋如果自用，問題也許還不大，如作辦公用途，地鐵與輕軌車站邊、公車站匯集處、高架道路交流道邊，絕對有考慮的必要，因為不但可省下大筆辦公費用的開支，更有提高效率，讓職員沒有推託摸魚的理由。

七、避免用台灣經驗推算潛在收益

台灣房屋的土地成本佔房價五〇%、七〇%，房價最值錢的是土地持分，在大陸在上海，這種經驗要拋棄。大陸的土地有的是，有用不完的土地蓋房子，所以上海的房價，其中最大的價值僅是建物部分，土地佔的部分可能不到一〇%，由此就可以想像將來性、升值性，不可能如台灣會狂飆會大漲，使用台灣的經驗，要重新評估，不要亂用，亂用就會成為套房族。

想在上海買到像樣的房子，光是肯花錢還不夠，許多事項必須親力親為。你得看看週邊五百公尺範圍內的生活空間，是否有市場、超市，生活機能的方便性如何，人不要太多，交通不要太亂，有沒有壓迫感，治安情況好不好更要清楚。

白天看、晚上也要看、半夜更要看。有些新屋群集的地方，入夜後社區道路照明不足、甚至沒有照明，暗處就形成治安死角，甚至有些社區白天銷售人員進駐旗海飛揚，晚上下班後整個漆黑一片，根本是滯銷的、乏人問津的空屋區。

最好創造獨處機會，和管理員、清潔工、甚至幫傭的阿姨、週邊的鄰居、附近小吃店打探，即使向小攤主買包菸也是機會，多聊多談後再下決定。

住在上海，水、煤氣、電話基本上沒有大問題，但對電力的供應是否夠用，足供每個房間同時使用空調，要問清楚。因為夏天沒冷氣、冬天沒暖氣，對台灣人而言，絕對是生活上的災難。

對買屋合約條文不明瞭的地方，除了請教和房產開發商沒有利害關係的律師和朋友外，儘可能傳真回台灣請教自己信得過的律師和朋友。感覺不對勁，就不要勉強下決定，前幾年開始，上海房市已是買方市場，議價空間非常大。自以為買到便宜房子的時候，想想自己是否把管理費列入購屋成本。在上海有太多的台商住了幾年後，才覺悟吃虧了，被略低的房價、超標準高管理費騙了，後悔都來不及！看現房不看期房，期房風險變數大於現房，和台灣的預售屋情況大同小異。

最後，還是要再重複一次——評估租是否比買划算。

用旁門左道保護自己

本節要不要寫？用什麼方式寫？用什麼標題突顯本節內容的重要性？確實讓我頗費思量。我原來想，前半部提出的買房原則，加上朋友、律師和自己的見解，有意在上海購屋者也差不多夠用了，不需要我再囉唆浪費讀者的時間。

可是，在上海這麼多年來，我看過太多買屋買出大問題的例子，忍不住想對後來者提出一些無關法令、無關行情的買屋建議。

買屋衍生出來的問題，影響層面最大，但後遺症會嚴重到投資血本無歸的案例中，問題不出在被套牢、也不是至今拿不到所有權狀，因為這類購屋者起碼還有地方棲身。搞到家破人（逃）亡的，都是借用至親好友、借用女朋友、借用二奶、借用細姨名義買房子的聰明人。實在不忍心，卻又忍不住不說出來，給大家參考，避免犯相同的錯誤。

標題使用「旁門左道」，是有點不倫不類，對這些相識的台灣朋友而言也不夠尊重，然而，人總是覺得自己不會這麼衰、親人不會這麼對付自己，以致於悲慘的案例一再發生。

張姓朋友，九三年就告訴他，如果嫌僑匯房的價格貴，不買就得了。他說：打聽到可以用上海人的名義買，五、六十萬台幣就可以買一套，為什麼不用上海人的名義買？於是，他用最親近、最信得過的大陸朋友的名義，在徐家匯買了一套商品房，當然，這位朋友是女的。

李姓朋友，九七年在租屋處被太太發現有女人的長頭髮，有女人待過的氣味，鬧得丈母娘親自出馬到上海排解。乾脆，一不做二不休，用女朋友名義，躲到閩行，連裝潢花了近兩百萬台幣買了一套商品房。

陳姓朋友，電腦公司的高級幹部，每次到上海和女朋友在賓館見面，心理上總是有壓力，不夠放鬆不夠爽。在女朋友提議下，在銀河賓館邊買了一套商品房，所有權人當然是女朋友，全過程女朋友一手包辦，他說前後用了近三百萬台幣。

黃姓老闆，每個月必出差上海，五星級飯店的住宿和開銷，不是筆小數目，為了節省開銷和方便性，乾脆借外甥的名義，在中山西路華東師大邊，買了商品房，平日供外甥使用和管理。

劉姓台商，明知大〇〇花園的台商，至今都沒有拿到所有權狀，為了拿到所有權狀，以為較有保障，接受女朋友建議，先用她的名義買，等以後法令變更後，再歸還劉姓台商……。

例子太多了，共同的出發點、理由無非是商品房便宜，又有信得過的朋友、女朋友、細姨可以幫忙，可以利用，何樂不為？

可是情況如何？

第一例的台商，第一套商品房給「丈母娘」佔去了，再買一套供「自用」，自用不足再買一套出租供養老，五年內前後買了三套，現在的情況是，自從張姓朋友台灣的公司倒閉，「援助」出了問題後，女朋友不再跟他浪費時間「交際」，給他臉色看。天天吃閉門羹的老張，只好搬離上述三套事實上是他的、名義上不是他的房子，佔的便宜全部泡湯了，全部扔進黃浦江，在上海另賃居處。

第二例的李先生：台灣來的丈母娘剛走，上海的丈母娘竟住了進來，從此他在閩行的小公館浪漫氣氛破壞無遺，更不能忍受的，老丈人、小舅子都來了，變成上海姑娘的娘家，日日喧嚣且需索無度，李先生乾脆眼不見為淨，散散去！認栽。

第三例的陳先生：經朋友提醒，他發現委託女友購屋的開支遠高於行情，追問之下，原來這房子是女朋友親戚賣出的，差額！對不起，無法解釋，追問幾次，女朋友覺得煩死了，乾脆推托說朋友呼叫器遺失了，大哥大換了。不讓你找到人，看你問什麼問，一、兩百萬台幣就這麼不翼而飛。

第四例的黃老闆：先是外甥的女朋友住進來，再來是外甥的好朋友住進來，規矩全都破壞了，忍不住說了兩句，結果大門的鎖被換掉，房東變成房客，主客易位。找親朋好友排解，信得過的外甥，乾脆大門深鎖遠走外地不理人。

第五例的劉老闆：自以為聰明的上上之策，只可惜蜜月期太短了，不到兩年，隨著生活上意見不合的摩擦，進而衝突、不歡而散，請教律師想討回公道，律師說，節省律師費是最好的建議。

太多的案例證明：自以為聰明的決策，事實愚不可及！自以為找到省錢之道，事實上通往萬劫不復的旁門左道！難道老於世故、精於算計的台灣人都想不到嗎？為了安撫二奶、大陸女朋友或親人，不得不買房安頓時怎麼辦？有沒有保護自己的辦法？

當然有！以下建議，僅供參考。

台商買商品房，法所不允。你出錢買，一開始就違反規定，存心不良，動機不純，一個逃稅的罪名就夠你頭大，所以對出事的台商而言，咎由自取，在法律上得不到保障。

所以不妨轉個彎，用「租回」的方式保障自己。對二奶、對女朋友或對大陸的親友都一樣，事先要溝通好，或透過第三者協調，買房可以，買房以後要簽署經過公證或律師事務所簽證的長期租賃合同，例如十年或二十年期的租賃合同，租金言明已經一次付清若干元，取得爾後十年甚至二十年內房產的使用權，你即為承租人。來日所有權人提前解約，必須返還已經收取的租金。

這種辦法，這種租賃合約，不盡然能完全保護台灣買主的權益，因為你到手的房屋只能使用十年、二十年，不到原有使用年限的三分之一；此外，萬一和大陸床頭人勞燕分飛，爭取權益時也頗費周章。但用此方式應付二奶或大陸女朋友的需求，倒不失為好辦法，可以嚇退她們通吃、通殺的如意盤算。

當然！台商自己不願去做，不想如此做，或二奶在房子到手後反悔，不履行公證租約的承諾，以上的辦法就成了廢話，縱使是神仙也救不回「你的」房子。

租比買划算

玉蘭花苑的房價，從九四年九五年最高點的二十五萬美元，降到二〇〇〇年的八萬多美元，如果再扣除補繳的地價二萬二千美元，付給仲介最低一．五%至三%的仲介費，拿到口袋裡的餘款和行情最高期比較，不是三分之一，而是四分之一。和九二年購買的原始價格比，亦跌了近三成。

所以在上海，每個人談房事，談房地產圍繞的主題，不是說跌幾成少幾個百分比，是用實際的金額、用美元來講，這樣別人才聽得懂、才能表達真正的損失。比如說在古北新區，二十八萬剩十萬，賠了近二十萬，三十五萬剩十餘萬，也是大賠二十萬跑不掉，我賠了三萬算是最少的，損失最輕的。

租固然比買划算，但租屋的學問也不小。陳先生初到上海開拓市場，租辦公室的規矩沒有打聽清楚，九七年租玉蘭花苑，未附傢俱，竟然以每個月二千美元簽下一年合同，比當期未附傢俱的行情，足足高出五、六百美元。被當冤大頭以外，更氣人的是空調壞了，房東沒說要換，也沒有說不換，拖拖拉拉，一氣之下，陳先生花了近六千元人民幣買了分離式空調。期滿退租的時候，要房東付六千買回，不答應，那付三千總可以吧，也不答應。陳先生火起來要把空調拆下來帶走，房東竟然說，當初沒叫你換，你要換，而且窗式空調拿去修理不用一百塊，你要帶走空調，那你搞個空調還給我。

在上海租屋，幾乎每個台灣人（老外更不在話下）都會遇到讓人啼笑皆非的枝節問題，這裡被敲一筆竹槓、那裡多了額外開銷，不事前錙銖必較的話，房租的慘跌不見得能替你省錢。

租金，自九五年、九六年以來，下跌的慘狀，對房東而言真的如王小二過年，一年不如一年。玉蘭花苑的租金僅剩三成、二成，目前為止除了黃金商業點外，還沒有聽過有租金上漲的案例，還要受氣。

首先，租房合約在供大於求風氣感染下，只能訂一年，甚至有要求半年的。其次，為了趕緊把房子出租，不少人找了仲介，而上海的仲介費行情是抽房東一個月、房客半個月，房東實得僅十一個月。

但十一個月的租金還是不能全部落袋。租賃所得以前不用繳稅，九八年以來，想逃也逃不掉，高達二三%的租賃所得稅，儘管目前減半優惠為一一．五%，一年下來稅金又砍掉了一個月租金，房東真正的所得僅十個月而已。

不只房客挑剔，連仲介業者也加入聯合陣線欺負房東，老舊的空調要換，落伍的傢俱要換，牆壁要重新粉刷，地板最好換新的，熱水器舊型的不但不安全，不換新很難租出去，還有電視，二十五吋的太小，最好換二十九吋以上附上VCD機……，如此這般，比較有成交的機會，就願意接受委託找房客。

這些為了把房子租出去的費用，就算不全聽仲介的建議，稍微整理整理內部陳設，花個二萬人民幣絕跑不掉，略興土木的房子「開」五萬六萬也不稀奇。

嚥不下這口氣的台灣房東，乾脆自己招租找房客，可是幾位台灣屋主交換經驗的結論是——很難！除了運氣特別好，或是靠自家台商介紹之外，房東很難拿到好價錢，連最容易受騙上當，輕易就決定付高價租房的日本人也學乖了。一般的台商，在上海住了幾個月以後都修煉成精，不只自己會比較打聽，還把經驗告訴新到的台商，不再當凱子。

房東坐享增值與節節高漲租金的黃金時期已經過去了，依照房價跌跌不休的趨勢來看，租金的走勢大體上也是江河日下，上海的房市已經是買方市場，租屋市場是房東看房客臉色。

佔便宜的租屋要訣

既然是買方市場，房客當然可以多要求一些，你可以要求增加新的傢俱或設備如ＶＣＤ機、有線電視頻道、衛星電視頻道、電話線路等等，看到床墊太髒、沙發破損、老舊的熱水器、爐台、冰箱、馬桶、洗手台等……，反正看不順眼就不妨提出要求，大部分都能達到目的。以電話線路為例，因為上海市有線電話設備過剩，已實施一加一，亦即第二部電話免收安裝費，只要申請即可，對房東而言，沒有損失可言。

訂定租約的時候，合約內容可以增加有利的條款，如：設備壞了，通知三天內不處理，換新的費用由房租抵扣；房租內容含管理費，或內含其他任何費用；碰上不可抗力的動遷與批租，房客有找房子減免房租的時間，房東提前解約有減免租金的罰責等等，房客可要求訂定不可異議抗告有利的條款。

這些租屋原則可適於辦公室或辦公兼住家，但辦公用途的樓宇，想正式報備為營業地點，或想作為公司的籌備處，就要房東提示商用或商住兩用的證照證明，以免搞了老半天，浪費了大堆時間，又要另起爐灶找可設立公司的地點。

至於租廠房、租營業場所、店面，除了上述佔便宜的要訣，營業場所、店面或專櫃的承租各有竅門，一一陳述如下：

租店面

說起上海的店面，真的可以拿小老婆來比喻，既可愛又可氣！甚至可恨又可惡！上海的店面，保守點估計，台商養的、台商開的，不會少於萬家，甚至有人估計兩萬家、三萬家我也不覺得離譜。

在上海，台商用來作餐廳、快餐店、理容院、服飾店、婚紗攝影、紅茶店、咖啡廳……的店鋪，在有名的仙霞路，由友誼商城開始算起，至天山戲院約兩公里的範圍，不會少於二百家。在徐家匯、中山公園、新客棧、地鐵商城、南京路、淮海路、浦東陸家嘴……著名的商業區商店街，隨便找隨便指，店員都大略知道哪些是台商開的、老闆是台商。不只著名的商圈如此，只要有人潮聚集的地方，一定看得到台商的店，在楊浦、寶山、松山、奉賢、金山、偏遠的地方也有……，可以說台商在上海是遍地開店，只要有店的地方就有台商的蹤影。

有人開玩笑說，光是上海台商的店面一起喊停，絕對會形成轟動中外的大事件，因為至少會造成二十萬失業人口。台商太會開店，太喜歡開店，看到路上熙來攘往，就想在旁邊找店面，以為店一開出去錢就滾進來，就可以不用考慮其他風險似的。

實情際的情況如何呢？賺到錢的有幾家？如果沒有錢賺，為什麼店越開越多？我看著一波接一波的台灣人，匯了幾十萬到幾百萬的台幣，天天在上海市區逛，到處考察店面，彷彿此地真有無限的商機。

真的有不少台灣人因開店而得意，早幾年來這裡開店而致富，在上海過著逍遙快樂似神仙的日子，然而近幾年為數更多的台灣人在店裡頭苦撐，在找下個替死鬼，巴不得快點扔出燙手的山芋，把手頭上的黃金店面盤給後來的人。許多朋友信誓旦旦說不在上海搞店，要到南京搞、蘇州搞、武漢搞、成都搞……（請注意，就是沒有人說不在大陸搞店）。

上海店面的興衰

店面就像油井，生意做起來的話，坐在櫃台就能看著鈔票源源不斷冒出來，但是店面也可能變成吸金的黑洞，成為身陷其中的地方。

九六年以前，可說是台灣人開店的黃金歲月，上海人只要看到、知道台灣人開的店面，不管你賣的是啥咪碗糕，吃的、穿的、用的，掛上「台灣」兩個字，上海人都願意掏錢買，哪怕衣服、家用品是台灣品牌大陸製造，台灣小吃根本沒有台灣味，都可以賺到錢。

九二至九六年嚐到甜頭的台商，不但自己拼命開，找到店面就開，更呼朋引伴來作伙，再貴的租金也不怕，更有人覺得簽下五年不夠賺，要簽十年的租約。九六年以後，上海人被各地冒出來，各式各樣台灣人的店面餵得也差不多飽了，失去新鮮感，不再好奇、也不願沒頭沒腦的從口袋掏錢，台灣人店面的大環境開始大逆轉。

九六年以後，台灣人開太多相同類型的店面，讓上海人失去新鮮感，只是店面不賺錢的原因之一。最大的原因是朱鎔基宏觀調控政策、管制公款消費、實施住房改革，要上海人存住房公基金，才有房可住、可分配，不得不勒緊荷包的政策，逼上海人開始計較開支不亂花錢，台灣人的店面當然受到波及。

屋漏偏逢連夜雨，大家都沒有想到亞洲會發生金融風暴，一下子有太多的外商和外資倒的倒、關的關，自己沒錢消費外，坐檯小姐、二奶們也頓失消費的來源，沒有凱子哥代為付賬，台商的店也失去重要的客層。九八年朱總理上台，對台商而言，是真正災難的開始，素來愛擺排場的上海人受各項政策影響下，不但不敢再亂花錢，更要拼命的存錢，以保將來生活無虞。

直至今日，大陸人也學會了台灣人經營店面的手法，而且本錢更粗。不斷有新競爭者搶食市場大餅下，台商店面榮景不再，多半都在苦撐，等景氣好轉、等想出賣點、等再起的機會。

簡述以上店面由榮轉衰的歷史，主要的目的是要強調，九六年以前的店面很容易賺到錢，現在的店面賠錢佔大部分，箇中原因固然有上海人消費習慣變化、新競爭者加入和景氣轉變等因素，台商店面由盈轉虧的另一原因，是被租金困住了，被九六年前簽下最少五年至十年的租約困住了。動彈不得。

台灣經驗要修正

嚴格說起來，是被台灣經驗害慘的。

在台灣，有信心開店面的經營者，看在裝潢費、設備費和客源培養不容易的經驗，有誰不希望把租約簽得越長越好？特別是連鎖店的經營者，莫不希望把租約定在十年、十五年以培養客源、搶市場。

九六年以前，台商依經驗法則，莫不在租約的年限上，特別計較用心，不惜以較高的租金，較高的租金年增率，交換租期的延長，年增率高達百分之二十五亦在所不惜，以為搶手的店面只要租到手，必然有八年、十年賺錢的榮景可期待，其他的都可以不計較。

聽明算計、經驗豐富的台商，真應了一句人算不如天算的諺語。沒有人算到會發生金融風暴，沒有人料到環境大逆轉，九五、九六年搶簽店面合同的時候，高租金不計較，九七年租金行情跌一成，九八年跌一半，九九年變為三、四成，其中到底套牢多少店面，多少台灣人由盈轉虧，正確的數字，沒有人算得出。風光一時的○○屋、○群麵包連鎖店，為什麼倒閉？就是近四十家連鎖店租金的壓力，不得不倒。九九年初仙霞路上有近百家台商的店面，悄然的換手經營，就是老台商找到替死鬼當墊背，設計了新台商！

不厭其煩的說明以上的種種，因為我也是台灣經驗的受害者。我在上海經營過十家店面，這是錢好賺的時候，不在乎租金，拼命擴充的結果，給自己埋下非常麻煩的因子，所以我有極深刻的感受。在上海經營店面，簽約的年限到底多長才適當？合約的內容要如何訂定彈性條款以保護自己不吃虧？這才是最重要、最困難的，而不是在租金高低上頭特別的計較。這是經營店面、租店面最基本的第一個認識。

認識房東

店面租賃合約訂立要項，最重要的不是條文，而是「認識房東」，這個條件決定一切成敗，但是台商忽略了！很多台商店面、連鎖店倒閉，苦苦掙扎的最根本病因在此。

最笨的台商也知道，面對九七年、九八年情勢的大逆轉，最有效的對策，就是成本降低和開支節流，其中最直接的就是租金。可是幾乎每個房東都主張依約行事，毫無商量的餘地，明白告訴你租金不可能降。

認識房東，是我深切的體會，好房東百分百幫助店面更有成功的機率，遇上惡房東店不關也難。

上海店面的房東，分屬國有單位、集體企業、市政府、區政府、縣政府、或直屬單位，你可以將之全部歸為國家的或共產黨的，也說的過去。你所遇到的「房東」，不客氣的說，其實是管理人員；有些管理員確實不錯，真心誠意幫房客解決搞不清楚狀況的困擾，可是有些國有資產的管理人，不但不幫忙，簽約以後，知道你是台商、是外人、有的是錢，不但不幫忙，還聯合其他單位設計陷害你，不停的找麻煩，為的是要你不停的付錢，讓你進退不得，沒有安寧的日子好過。

所以，在洽談的過程中，如果感覺房東不好相處，很難伺候，一副把店租給你就是施予莫大恩惠的態度，你賺錢他也有一份功勞的觀念。遇到這種管理人，再好的條件、再便宜的租金也要放棄、也要死心。

房東這關審查過後，對合約的內容，下列重點可供參考：

一、不能綁死、要有彈性

例如承租年限、租金遞增率、雙方權利義務、租金變化的依據，儘可能找到合法又有彈性的處理原則。

二、注意水、電、煤氣的基本使用量

有家在台灣非常有名的可〇〇餐廳，投資近百萬美元，下訂金簽約後才發覺煤氣不夠使用，以為一邊申請增容一邊裝潢就可以解決。可是交了一大筆的增容費用之後，還是遲遲不見下文，費時三個月裝潢快完成時，台商忍不住親自出馬探尋究竟，得到晴天霹靂的答案，原來是當年不能施工。根據市政府規定，馬路一年只能挖一次，當年已經挖過了，要隔年才能開挖，貴寶號煤氣管線放大接通的工程，根據規定無法施工。長官，店都裝潢好了，只欠管線——抱歉，無法幫忙。

結果，這家餐廳等開挖、等施工、等接好管線，開幕日期足足延後一年有餘，最後因股東的內鬨，不得不換手經營。換手經營者的下場更慘，因為他還是擺脫不了會騙人的惡房東，前後一年多換了三手，還是關門大吉。

不同行業必須注意的細節大異其趣，你得依據經營特性看水電煤氣的基本容量是否夠用。如果不敷營業所需，在沒有看到實際的解決辦法前，不要勉強簽下店面，其中煤氣的麻煩最大，不但費用高、施工也費時，一定要特別考慮。

三、注意環境可能的變化

市政動遷、批租、改造，合約上一定被為列不可抗力、不可求償的條款，所以，店面準備經營幾年？幾年後很可能會被動遷，批租、改造？如果承租店面不動，但周圍環境改變的話，影響大不大？地形地貌如果改變，店面能否承受？……盡可能徹底了解周圍環境可能面臨的變遷，如果沒有把握，就不要勉強租下來。

四、在最需要的關頭才出面

上海房東做生意的頭腦與手腕，絕對不輸給台商，看店選店，不是三兩天就解決的事情，呆胞沒有必要一開始就出面（以免被宰）。如何給自己創造談判的有利條件，非必要不出面，是開店時很重要的心理作戰策略。

形勢比人強，本事再大，本錢再大，身在異鄉的你很難逆勢操作。投資前，看店面之前，心中的底線必須明確，不能輕易妥協讓步，放棄原則，勉強自己在不利的條件下開張，絕對不會有亮麗的結果。

租廠房

除非你是跨國公司、上市公司、高科技公司、家大業大預算多到用不完，或是需要特殊的生產模式、特殊的廠房以安裝特殊的生產線，像是無塵空間或需要特別大量的用水、用電等不尋常的條件外，在上海設廠，如果廠房用租的，不但可以節省資金、不賠等於賺，對將來的發展反而擁有更大的主控權可以發揮。中小企業就該發揮靈活的專長，許多台灣朋友到了大陸卻執迷於看起來似乎很便宜的地價，反而失去了利基。

在上海投資及其週邊地區，有無數新的、舊的，坪數大小齊全的空置廠房等著你去租，在閔行、莘庄、嘉定、青埔、松江、浦東、南匯……都有，放出消息或花點時間去找就有。

廠房出租的行情，如果和九四年九五年最高行情的時段相比較，和房市一樣，大幅跌落只剩四分之一、五分之一。五年來我沒聽過有漲價的，甚至有出現當地區政府、縣政府自已開發投資的廠房，為了交差、為了收回部分投資，竟然開出只要外資去設廠，廠房租金的部分都好談的條件，有的地方只要你把投資主體設在當地，將來在當地繳稅，也答允聘請一定比率設籍當地的員工，租金僅象徵性的收一點。租期可以如你所願十年、二十年。仔細算算，如果不考慮其他因素，僅以租金和建廠成本來比較，租金約略等於建廠成本的利息而已，廠房和土地等於贈送的。

批租素地建廠房，除了特殊地段、設有特別限制條件的開發區，例如保稅區以外，批租地價大幅滑落僅剩五分之一。表面上看似很划算，撿到便宜，可是下滑的僅是地價一項而已，該繳交的市政建設費不能少交，三通一平的通水費、煤氣增容費、電力增容費、環保、消防、公安等單位要收的費用，一樣少不了，反而比以前貴得多，如果再詳細加計建材上漲，人工上漲和建廠期間利息和管理費的支出，事實上新設廠房時因批租地價下滑而受益的部分，無法沖銷其他費用上揚的幅度，對投資者而言，得到的實惠並不大，絕對沒有想像中的大。

隨著環保意識的高漲，大家對生產廢棄物都很注意，審批的單位和官員更特別敏感，如果排放的廢棄物中有強酸、強鹼類或需要大量的水、電、煤氣的消耗，或需要特別高標準衛生、防疫要求的工廠，他們都會很小心謹慎，以免惹下不必要的麻煩。

這種心態對投資者而言，是惡夢的開始，中小企業的投資案件送審，何時會准、何時准許開工，無法確定，開工期間會有何種麻煩和特別關照的管理，無法確定。有一位打算生產新竹貢丸、魚丸等冷凍食品的何姓台商，在上海前後等了將近三年，才拿到製造銷售許可證，可是正式生產未滿三個月，因資金都用完、花光了，貨款還沒收到，後繼無力，只有忍痛和上海說再見，和已經丟下去千餘萬的台幣說再見。

所以對於除了要工廠登記證以外，尚須特別審批證照才能經營，例如食品衛生許可證、消防安全許可證、廢棄物排放許可證、跨區經營許可證……才可正式生產的投資人，不訪考慮承租已具備這些證照的工廠，除了可省下籌備、建廠的費用外，能以最快的時間進入市場。例如在金山有一座半停工的農藥工廠，對有興趣的投資者而言，除非本身是跨國公司，要搞到農藥的生產特許証，不是容易的事情。

租專櫃

專櫃的定義，就是在百貨公司、商廈、商場、商城、集貿市場、專業市場、特色街、特色馬路……承租攤位、舖位、專間，以供賣吃的、穿的、用的，供美容美髮、攝影、諮詢等服務業，行業範圍無所不包，而最大的特點就是租專櫃的業者，持有的是共同經營執照，不需個別再申請，專櫃合約簽妥即可立即開門營業，是上海近年很流行的投資模式。

台灣人熱衷專櫃的風潮，始於九四年。當時台商第一家百貨公司、中興百貨在徐家匯漕西北路開張營業。當中興百貨用專櫃模式開始營業的時候，除了台灣服飾專櫃引起小轟動外，最大的轟動是在三樓的美容院、和一樓賣台灣小吃、牛肉麵、切仔面的美食街，天天客滿。這段時間住在上海、到上海考察的台灣人，鮮有不去報到觀摩，看它一眼。

接著，徐家匯又有台商的大千美食林開張，用專櫃的模式賣小吃小點，亦吸引上海人不惜為了排隊、搶位子而吵架，好像不到大千美食林報到，就不是上海人似的。

最大的轟動是接著開幕的太平洋百貨，完全顛覆百貨公司營業規律的特性，每天大門還沒有開，就有人潮聚集等候進場，滿坑滿谷的人潮，天天如此、天天旺，絕對沒有所謂高峰、淡季的現象。在太平洋百貨七樓的美食街，更不得了，每個專櫃的前面都擠著拋錢買單的人，排成人龍，佔位子的爭吵聲此起彼落……。

由此開始，中興百貨美食街、大千美食林黃老闆、太平洋百貨小吃美食街、專櫃老闆「賺翻了！」「貿死了！」是當年在上海台商最熱門的話題。

因為，在上海，不管你投資什麼，開廠、開店、開公司、蓋房子……，由提出意向書、可行性報告開始，請人吃飯、送禮、找關係拜人脈，層層審批的關關卡卡，既浪費金錢，時間、精神體力外，最讓人不能接受的是審查不一定通得過，或是通過時，已經人事盡非，或是已喪失了商機。

在上海有人為了投資案，費時兩年、三年才定案，根本就是無足掛齒的小新聞，太普遍了！我的不銹鋼餐具廠合資案，前後即花了一年半的時間，取得執照前的開辦費、差旅費即用了近一百五十萬新台幣，最後能夠如願設立，開辦費沒有全扔在水裡，算是幸運的例子。比起別人，我等十八個月真的不算長。

所以，當台商們看到在中興百貨、大千美食林、太平洋百貨搞專櫃的「小販」台商，鈔票滾滾而來的例子時，每個人的眼睛都亮了，都想租專櫃。做專櫃不但錢好賺，更大的吸引力是有傘（執照）可以馬上用，可以跳過申請零售業執照的大難關，不用開辦費就可以搞百貨零售，不搞專櫃的人腦筋有問題。

於是，開專櫃的人風起雲湧，不但專業的人搶，像是在台灣幹過廚師的人搶美食街、小吃中心的專櫃，服裝廠搶服飾專櫃，建材商搶建材專櫃，美容美髮、咖啡、泡沫紅茶……的專業人士都爭先恐後的搶；非專業的人，更是神勇，甚至比專業的人更勇，如意算盤打的是，反正投資不多，又有現成的執照可用，不浪費時間與資本，可以馬上賺錢，沒有理由不去搶個專櫃玩玩，賺業外收益或是個人的外快。結果，只要搞到貨源，找到人管理，製造業的投資台灣牛肉麵、新竹米粉、台南碗糕專櫃，搞貿易的投資流行服飾、皮鞋、配飾專櫃，對開店有浪漫想法的人就投資咖啡吧、紅茶吧專櫃……。

九五、九六年，只要有新的百貨公司、商廈、商場、商城等招商，台商和港商爭著搶第一，有高價買斷的，有包底的，有根本不在乎三五％、四〇％抽成的，當然更不在乎高得嚇人的管理費。當時，走在上海街頭，不管是地上的還是地下的（如地鐵商城），都可以看到台商的影子，個個都在編織太平洋百貨每個專櫃月入三、四十萬人民幣的賺錢大夢。

可是，真正賺到錢的有幾位？

在陝西南路上〇盛商廈，招商姿態之高，條件之苛，照樣嚇不退懷裡揣著錢的投資客。我幫台商朋友評估過，生財器具自備合乎常理，公用設備費以專櫃數平均分攤也說得過去，但業主保留自用的攤位不用分攤公設費，外商沒有參與商場共管表達意見的權利，就不公平。接下來，既要包底、抽成費特高外，專櫃還有分擔高額管理費、清潔費和廣告促銷費的義務，其中廣告費的收取方式不明白說清楚，又沒有上限封頂數，也沒有商場營運計畫的試算表……。

我的結論是，不能以太平洋百貨專櫃的收入做為評估可行性的標準，縱使有SOGO的營業額，這種專櫃的營收東扣西扣下來，賺不了幾個錢，加上生財器具的折舊就賠定了。萬一達不到SOGO每月至少三十萬的營業額，賠的會更多，所以穩賺不賠是房東是業主，這種專櫃不能投資。

南京東路上第〇百貨新大樓美食街，同樣包底高、抽成高，管理費、清潔費、促銷費與陝西南路商廈的情形大同小異，穩賺是房東、是業者，不是專櫃的投資者。

結果，投資專櫃真有賺到錢的，少之又少，像南〇商城、八〇伴百貨、新〇〇百貨……，這些設在最熱門的南京路、淮海路、徐家匯、陸家嘴、新客站、中山公園、四川北路的專櫃百貨，全都馬失前蹄，用全軍覆沒來形容設櫃攤商亦不為過，其中甚至有房東竭澤而漁後餓死自己。

有太多的台商看好專櫃，卻死在專櫃，原因出在哪裡？

一、比對錯誤

大家都拿SOGO比，拿南京路上的新世界商廈比，一廂情願地認為商廈業主、購物商場的經營者都是如此，想法大錯特錯。SOGO的成功除了天時——開得早，地利——徐家匯商圈中心，人和——百貨和地鐵商圈的人潮，已建立知名度外；更重要的是業主SOGO派駐幹部真正用心的經營，才可以屹立不搖，這一點和鄰近的中興百貨比、大千美食林比，就可以看出高下。能夠持續賺錢的因素，豈止是單靠人潮就能成功，賺錢的商場經營者妥善規劃賣場，不容納太多同質專櫃，抽成比例合理，不亂收費，試問上海的賣場業主有幾家辦到了？

至於新世界商廈，它的後台老闆是杏花樓集團，固以月餅出名，名震上海灘，亦是擁有十數張知名酒樓、餐廳、飯店招牌，位列前茅的餐飲集團。新世界美食街成功的最大原因，一是管理規劃的統一，除了一家冷飲專櫃不屬於旗下的成員外，全都屬於杏花樓集團，沒有專櫃會因為虧損而退出，破壞整體的氣氛。二是善用其原有知名品牌的號召力，集於一處，給客人更大的服務。表面上看是各種美食專櫃的經營成功，事實上根本不能稱之為專櫃，是集團的成功。

二、想法太天真

以為佔個專櫃，掛上台灣小吃、台灣品牌產品、台灣師傅、台灣工藝的招牌，就有吃香喝辣、搖擺的將來，全然不用心觀察消費心態的轉換、商圈的變化、競爭對手的崛起、降低經營成本的必要性、強化競爭體質、維護產品提高品質等。做生意該注意的事情，竟不去注意，擺專櫃而賠錢的人多半和此因素脫不了關係，他們輕看上海市場，以為上海好賺好混。在百〇商廈投資的台商賣新竹米粉、台南碗糕、筒子米糕……全部死翹翹，就是活生生的例子。

這麼說來，專櫃的經營模式簡直是台商零售事業的終結者，碰它的人就不會有好下場，專櫃不能列入投資標的……。

筆者卻不這麼認為，經過大街小巷穿梭比對，從失敗的案例逆向思考推論，反而結論出「專櫃經營模式」不但不會是台商的事業終結者，還有可能成為台商、特別是中小型台商，打贏大陸商戰的最佳舞台。搞專櫃也許比開工廠、開店面的前途更遠大，這種生意剛好合乎許多台商「什麼商機都不放過」的投資習性，正是發揮專長的好所在。放棄經營專櫃是不智的，更是可惜。

有位新聞記者出身的何姓台商，數年前到上海，做什麼賠什麼，搞過小型零件製造廠、電腦買賣、賣機票、快遞，全部都賠，連台灣的房子都賠進去了。這期間他明媒正娶，娶了上海太太，在大陸老丈人、太太的建議下，何姓台商乾脆不做生意，而他自己也承認不是塊做生意的好料，於是在昆山近郊，在老丈人、太太的幫助下，養起了大閘蟹，做為東山再起的最後希望。

一九九九年大閘蟹收成的時候，他碰上匪夷所思的大麻煩。當地盤商欺他是台商、欺他是新手，貨就是銷不出去，或是價格被壓得極低，吃盡了苦頭，原本能賺的行當變成小賠，還算是不幸中的大幸，於是問筆者有何好建議供他參考。

筆者了解他的背景、狀況，既已娶了大陸太太，台灣又不想回來，落地生根已是必然要走的路，既然如此，就要善用現有老丈人、丈母娘、太太的資源，自產自銷，自己找出路。

於是他逕自到著名的水產批發市場：龍門路、八仙橋、真北路、銅川路、江浦路詢問，包個攤位搞批發；還到乍浦路、黃河路之類的大排檔一條街搞自銷；甚至散佈上海各角落的數千個集貿市場（就是台灣傳統市場）擺攤零售……。在大陸搞零售多半需要執照，那就更簡單，因為有很多人有執照但不願做辛苦生意，於是有月租的、日租的執照出現。出門才有出路，坐在家裡發愁才是真正的死路。

有位在東莞生產廚、衛五金用品的台商張先生，被變化多端的內銷市場、被經銷商整得痛苦不堪，在上海問筆者是有否好的對策？我建議他到我住處附近宜山路的建材專業市場去感覺新商機，可以考慮在建材市場中承租專櫃，一方面自產自銷，一方面就近開拓上海市場、華中市場。這麼做的最大好處是貨款自己收、市場自己打，此外，不用傷腦筋去更改執照、跨區經營許可、或重新申請，還有機會代銷同行的產品。甚至不用出錢搞定從生產跨足銷售的週轉問題，只要拿經銷商的倒帳、壞帳、死帳中的任何一筆，沖抵租金，將對方在上海的專櫃搞來經營就夠本了。這麼做好處多多，有打游擊戰的味道，不妨試試看。

張姓台商最終以全包每月近五千人民幣，租個專櫃，不但打開自己的市場，亦有不少代銷的利潤進入荷包，效果好得很！

專櫃的模式，以前會失敗，是因為台商不尊重環境、不尊重市場，做生意本來就該兢兢業業，到大陸的陌生環境中更該臨深履薄，然而很多台商卻認定大陸商機稍縱即逝，一輩子不會再來，爭先恐後的心態下，顯而易見的危險都不顧了。

開廠、開店必須面對複雜多變的商圈生態演化、法律規定、消費習慣、社會進步，甚至電子商務可能的影響都得列入考慮，風險絕對比具靈活性、可戰亦可走的專櫃來得大，更不可預知和控管。

租專櫃的注意事項

用不著去搶租，這是第一、也是最重要的概念。

新的百貨公司、商場、商廈，專業市場、特色商店街、特色馬路……是否能在上海激烈競爭的環境下活下去，誰也無法預測，房東、特別是國有集團，是否會因為更換主持人或經營團隊而改變經營的方針、管理的規定和策略，從而影響專櫃的業績與生存？有必要打聽清楚，再下決定。

從中央政府、上海市政府、區政府、到縣政府，表面上有統一的商業發展策略，但為了開拓自有的財源，豐沛自己的收入，莫不積極想方設法設商圈、設特色街，建商廈、商場、專櫃市場……以引資招商，甚至各級政府的商圈規劃彼此競爭亦在所不計，所以在上海不用擔心沒有專櫃可租、可用。

專櫃成功的條件，比店面的經營更複雜，會受更多自己無法控制的因素影響，所以不要被淮海路、南京路、徐家匯、陸家嘴、城隍廟等著名的商圈唬住，成功的專櫃不一定非得設在這裡，其他地方一樣有商機。此外，不要被跨國集團、國有集團、大百貨集團的名氣壓倒，著名大集團經營購物中心，絕對不是成功的保證，SOGO 百貨在淮海路新店的業績就不如預期，比徐家匯的 SOGO 差太多了。

搞清楚條件，不勉強投資是第二要項。

前面提過的租店面要領，同樣可以用在專櫃上。專櫃更因近年的演變，有比店面更多樣化、多元化、尚未定型的遊戲規則，像是：有免租金、免抽成費的專櫃，只變相酌收管理費、清潔費；也有空置廠房改裝的攤位，如傢俱、建材專業市場、農貿、特色市場，更貼近本地消費者。聽過上海人說過嗎——南京路是給你們外地人去的，咱們上海人不上那兒買東西去。

同一個商廈，抽成費有低至一二%，有高至四〇%，有包底的，有不包底的，有不負擔促銷費、廣告費等額外支出的合約，有負擔促銷費、廣告費，且未定封頂上限的合約……。如果條件不如當初盤算，千萬不要勉強投資，這裡將就、那裡將就，縮水的可是你的荷包。

第三個要項：合約內容要比租店時更斤斤計較。

店面成敗，投資者要承擔絕大部分的責任，專櫃的成敗，在雙拳敵不過眾手，個人理想擋不過多數表決，形勢比人強的情況下，很有可能遇到錯不在我導致一敗塗地的不可預測狀況發生。輕則危害到投資收益，嚴重的吃上官司，這是租專櫃和租店面不同的地方，需要花更大的心思投注在合約簽定上。

簽專櫃合約時，應該思索：包底租約或抽成比率，在整個商廈的整體營業績效達不到招商說明書的預估目標時，包底的金額或抽成比率是否該同等降低？有人撤櫃，有空櫃影響賣場氣氛的營造，拖累其他專櫃的營收時，是否有相對應的補償或賠償條款？

萬一生意不好，依據合約中的撤櫃條款被要求撤櫃時，是否有相對應平等的罰責，作為求償的根據？此外，公眾使用的面積、範圍、設備是否詳細羅列、是否該另外付費、收費的標準訂得是否合理？收費的內容是否有灰色地帶？是否有衍生爭議的可能？是否明定收費上限？上限的訂立是否公平？合理？

專櫃模式，在上海必定會形成新的主流商業體制，絕對是單打獨鬥型、以小博大型、試探型、養二奶型、賺一票就跑型……的台商，最適合的投資模式，不要輕忽它的存在，認識它，對投資上海有正面的意義。

第二章

愛人是上海人

在上海，結婚是大事！

「副總，小趙結婚，禮金要包多少？」

「你是老闆，一千！沒有一千不好看。」

「一千？為什麼？那你們包多少？」

「你是老闆，當然要一千囉，我們三百。」

九三年，工廠車間的組長小趙結婚，請我當貴賓，是在上海第一次受邀參加婚禮。我不懂紅包的行情，所以請教中方派任的副總經理，印象因此特別深刻。當聽到一千這個數字時，我愣住了，心想有沒有聽錯？小趙的薪水是我批的，月薪不滿六百，結個婚就要老闆包一千——近兩個月的薪資，豈不比年終獎金還多？還有，副總的月薪一千三，和小趙雖有故，卻非親，四分之一的薪水當紅包，對副總而言，豈不損失慘重？實在想不通其中的道理。台灣的規矩，同事間的禮尚往來，也只在薪水收入的十幾、二十幾分之一，怪怪，搞不懂，上海紅包！

滿腹狐疑的感覺始終化不開，於是向認識的上海人打聽紅包行情。副總並沒有矇我，一般的同事，二百元只是最低的出手，副總包三百符合身分與行情。

在上海結婚，當然有只花百餘元就成為夫妻的。備齊證件，兩人相約到所屬區的婚姻登記處，完成登記即具備法定婚姻關係，和台灣公證結婚一樣簡單乾脆又便民。

可是一般人，任何一方只要有點臉面，較有新潮的想法，同樣視結婚為終身大事，縱使沒有錢，為了面子好看，為了攀比，更為了創造話題，也要借錢擺譜擺場面。

上海人，為了結婚大事，勇於花錢的勇氣，出乎想像，例如禮服就是要比別人多一套，結婚照要比大、要比名店，要比誰花的錢多。前幾年，婚紗攝影剛起步，走紅上海灘的時候，竟然有人願意花年餘的收入，近萬元人民幣，去拍結婚藝術照，展示在婚禮現場，供眾親好友去欣賞、去羨慕、去評比。和台灣新人相比，收入只有十分之一，結婚的開銷卻和台灣一樣，這就是台商眼見上海市平均每年有二十三萬對佳偶結婚，因而瘋狂投資婚紗攝影公司的原因。

結個婚要花多少錢？新房裝修、買家電傢俱、買金飾、拍照、宴客、蜜月旅行……樣樣不能省，樣樣都要比較的情況下，最少五萬人民幣跑不掉。對平均月入千元人民幣的上海新人而言，確實是天文數字，所以紅包的功能在上海，除了祝福外，尚有贊助、標會的味道與功能。尋常同事包個二百（相當於台幣八百元，以台灣的國情而言也算不低了），好朋友五百、一千，至親最少三百、五百至數千，佔月收入三分之一、一個月、數月薪水，不但是行情、也是規矩。

至於身為老闆的台商，更要慎重出手，不能小氣，因為台商老闆的「行情」，也會成為結婚會場的話題之一。

離婚是小事

數年前我經過宜山路徐匯區地方法院，停下腳步看公告欄，其中有張離婚判決書，至今忘不了。讓我留下難以磨滅記憶的是，上頭判決小孩撫養費僅月付百餘元人民幣，百餘元就可以撫養小孩？就准予離婚？我開始對大陸人的離婚問題這碼事有興趣，想找答案。

以此話題請教任職上海某區地方法院院長的朋友。他說，撫養費的金額並沒有錯，並告訴筆者：

在上海、或說在大陸，離婚案件上法院的比率不高，為了離婚上法院，主要是為了住房解決不了才上法院，一般怨偶離婚縱有爭執，大部分在親友，街道調解下就解決。很少人為了撫養費、贍養費上法院。說具玩笑話：判了也沒用，不履行或是根本沒有能力去履行，問題還是存在。

台商吳先生的女朋友，是離過婚的坐檯小姐，每月得付一百五十元給以前的老公，當作兒子的撫養費用。離婚的理由是老公要她出來賺錢，又要吃醋，實在受不了，乾脆離婚。問她仳離之後分到什麼，財產？房子？什麼都沒有！房子是公公的公房不能分，兒子歸老公，每月付一百五十元給兒子，就算盡到母親的責任。

離婚在上海，照上海人的說法：太容易了。雙方到婚姻登記處簽下離婚協議書，就OK！升斗小民反正沒啥財產可分，子女只有一個（或沒有），好聚也好散，用不著為了心中原本已經老大不爽的離婚，再勞師動眾，弄得雞飛狗跳。

一位李姓台商搞不清楚這種狀況，受不了武漢有老公的同居女朋友天天疲勞轟炸要求買房。各種理由用完，沒有理由推託時，竟然異想天開向女友說：武漢有老公，叫你老公買，我不是你老公，沒有理由買給你；你跟老公離婚，我就買。

這位老哥，以為自己聰明，以為給女朋友出了道不好解決的難題，可以再混上一段時間，再謀對策。沒想到，千算萬算，以為無解、不好辦的難題，不到一個星期，女友飛機去飛機回，就拿著離婚證書死纏爛打要台灣老公兌現承諾，弄得啼笑皆非、進退不得，被上海太座搞得四處求援四處借住，有「家」歸不得，最終不得不先逃回台灣躲幾個月，以避風頭，傳為朋友間轟動武林的笑譚。

我在自己經營的火鍋店中聽到台商朋友們提到這碼子鬧劇。不少台灣人在我店裡頭聚會用餐，聽多實例之後，我們這群台灣老男人彼此得到很有趣的共同結論：在上海，很奇怪，看到的聽到的，幾乎都是女的主動要離婚，男的好像沒有聲音；另外，買菜燒飯、洗衣清潔，好像都是男的在做。上海男人在幹什麼？這種表現已經超過「新好男人」的尺度，似乎有點窩囊。

上海：母系社會

沒錯！上海是女權為大的母系社會！

我經營的工廠裡有位毛姓男經理，冬天時，手上長凍瘡。在上海平均氣溫都在零度以下的冬天裡，膚質不好或不注意，長凍瘡並不奇怪，一星期沒好，影響工作效率，可以諒解。但二星期、三星期，快一個月了還每況愈下，讓我忍不住質問，外出就診的假條也批過幾次，為什麼不換醫院就診？毛經理仍然答稱：體質、皮膚不好。

後來，小道消息傳進我的耳朵，才知這位仁兄是標準又標準的上海男人，凍瘡好不了是因為家事做不完；我也才知道其餘有太太的員工，個個都是很標準的上海老公。

所謂「標準」的上海老公，除了燒飯洗衣、清潔打掃拖地板全包外，賺的錢要交出去，身上不能帶錢，要聽太太的話……倒是這些現象我早就發覺，早已經了解，並不意外。以台灣的「標準」來看，有些上海男人的家中地位真的不堪聞問，太太在家中不但是太上皇，一言九鼎，享有指揮的權利，更是想做什麼就做什麼，老公不能過問，連在外面「找方向」（外遇、一夜情）的大事，也不能過問，一質問就不回頭，家都不回，就要離婚。

奇怪難解的現象，我已經注意好幾年，也曾經利用這種女人當家的現象，針對太太們下手，打點關係人的太太，辦好幾件事，成功率很高，效果不錯。在此公佈這種另類的後門秘方，給熱衷經營人脈、關係的台商朋友參考。

上海女人能這麼「搖擺」，箇中來龍去脈，我根據訪談，參考史料，歸納出傳統與現代的複雜原因。

一、「男女平權」的教條造成

洽談投資的台商，應該可以發覺，出頭接洽對談的對手，女領導的比率不低，因為上海是全大陸貫徹男女平等最徹底的地區。在所有單位中，男女分別出任第一、第二把手，即正副主管，好像已經形成慣例，誰也不願打破平衡，以免招惹節外生枝的麻煩。太太的職位、收入高於先生，在上海是非常普遍的現象，大家視之為理所當然，官位較小的先生安之若素。

二、「戶口政策」的規定造成

沒有長住大陸的人，無法領會戶口規定的威力，戶口主宰人的食衣住行、教育、就業……，沒有戶口就被視為「盲流」，在計畫經濟的年代就分不到糧票、布票、油票、肉票、蛋票、酒票、禽票，連喝碗豆漿吃碗麵，都不方便。不然就要多付錢，還得不到任何的福利與照顧。我當年初到上海時，買東西常被問：

「有沒有票？」有票一種價，沒有要加價，這種票比錢重要的現象幾年後，才完全消失。

戶口威力顯示在「票」上，一般人也倒能逆來順受，可是對求職、就學這兩個會影響個人一生命運的管制，縱使上海已號稱發展的龍頭，至今也未見放鬆的跡象。

自從我在九二年購入玉蘭花苑的僑滙房後，一位頗有來頭的朋友問我：是否可以認兩位大陸人當親戚？這還是他第一次對我這麼客氣呢。我搞不懂其中的涵義，為了慎重起見，未置可否，也沒有擺在心上。過了一段時間，這位大陸朋友舊事重提，還說可以付筆錢，問我要多少？我當場愣住了！那有認親戚還有錢賺的道理？

上海戶口奇貨可居

打聽之下這才明白，他有兩個朋友想住上海，但沒有上海戶口，因此不能在上海就業，找到正規的職業。此種規定一直都存在，向上海市勞動局報准刊登的求才廣告中，上海戶口必為其中的基本項，沒有上海戶口，再好的能力，也不具應徵的資格！上海的企業不敢聘僱，以免違反規定受處罰。

我就親身經歷過，漂亮的外地美眉向我求援，希望我代為請託徐家匯太平洋百貨的台籍主管，不要計較冒用戶口的行為，別揭發她辭退她，讓她繼續任職，保有職業與收入。

沒有上海戶口，甚至不能在上海受教育，台灣國中生常幹的跨區就讀，大陸很難發生。當局對幼兒園、中小學的管制還特別嚴，如果沒有上海戶口，連進幼兒園、小學都甭想。除非有錢，不在乎三萬、六萬人民幣，一次繳清學費給私立學校。

想入公立學校的外地人，一般除了動用非常夠力的關係找人說情外，都要繳交高達上萬或數萬人民幣的贊助費，不然沒有學校可唸，否則就得到郊縣、到交通不便的學校寄讀。更傷腦筋的是，小學、初中畢業將面臨無分發資格，沒有身分參加聯招。

此外，沒有上海戶口，不能在上海買房置產。約在九五、九六年規定未放寬之前，沒有上海戶口，縱使有再多的錢，都沒買上海房產的資格，除非借用上海戶口親友的名義買商品房，或借用國外親戚或外商的名義買僑匯房。後來為了發展浦東，為了消化滯銷空屋，在浦東地區或郊區放寬規定，允許外地戶口買經過特許、核准的商品房。甚至強調買房就可以可申請上海市「藍印戶口」，把上海戶口當作最佳賣點，當作最大吸引力的售屋廣告詞。

所謂藍印戶口，簡單解釋，就是轉換居住登記處，等同當地戶口享有醫療、就職保障、受教育、創業優惠……等，這種上海戶口設有取得條件，以藍色區分原有戶口，故名藍印。

上海市規定的取得標準，極為嚴格，要對上海市有特殊貢獻，或上海市急需的專門人才，經報准者，才能拿到藍印戶口，是一種尊崇與特殊身份的象徵意義。然而，近年來規定日益放寬，取得條件中增列購買上海經特准的房產，即可申請，以致上海人認為藍印戶口「貶值」了，不像以前那麼千金難買。

台商取得藍印戶口的更少，九三年上海報端曾報導過，可以用僑匯房的面積數或投資金額的數目，作為申請的標準，唯至今沒人辦成，我就是其中一位。

你一定會問：台商擁有藍印戶口有什麼好處？好處可大著呢！立即的好處是合法購買商品房，更大的好處是可以不受最低投資額美金二十萬的限制，立即申請個體戶、私營企業的執照，等同上海人所享有的國民待遇。

由此可知，上海戶口的好用與值錢。在上海住了這麼多年，一直有上海人在耳邊遊說要我認親戚，只要辦個公證手續，向有關單位表示某某人是我失散多年的親戚，他們願意給我一筆認親的謝禮，最高有人提到十萬人民幣。

所以我常和朋友開玩笑說，上海女人最神氣，憑個戶口，就是最值錢的無形資產，再醜的也嫁得出去，再老的也找得到老公。

上海女人在家作主，還有一個更深遠的歷史原因：文化大革命。當年文革下放了很多知識青年，被迫在異鄉落戶，改革開放後，上海市允許「知青回滬」，於是很多定居在外省市的知青（如今也三、四十歲了）拼命往回趕，其中很多人是因為太太的戶口，才得以到上海定居，是託太太的福與運氣，因而造成太太地位高高在上。

上海女人有私房錢

三、「支出不公平」的風氣造成

這是上海女人不好惹的第三個原因。上海灘在解放前，是男人的天堂，對男人有錢就會作怪的手法，特別熟悉，及至解放後，女人得到翻身的機會，於是特別忌諱與防範。在兵荒馬亂的三反五反、文革動亂年代，女人扮演安定家庭的角色更為吃重，在計畫經濟年代，大家均貧，其實家庭財務也沒有什麼內容可以多計較，於是太太們逐步掌握家中經濟的支配大權，一代傳一代，幾十年下來，上海家庭由太太「說了算」，已經形成風氣。

深入上海的家庭就會發覺，先生的薪資收入全用在家用開支上，經濟大權由太太掌握，存款、私房錢都在太太手裡，女人反而有了說話、作怪的權利。

四、「改革開放」的後遺症

改革開放外資湧入上海，創造無數的就業機會，然而上海是商業城市，新增的就業機會中，女性的職位遠多於男性的。在虧損國營企業改造、工人下崗（遣散）的風潮中，女性、太太們被迫轉換職業，反而有了更穩定或較高的收入，無形中，男人的地位每況愈下。上海家庭主要收入要靠女人的，數都數不清，例如屢抓不完的三陪女（陪酒、陪舞、陪宿），為什麼抓不完？不怕被抓？事實上，有很多特種營業女子竟然是家庭經濟最重要支柱，是收入的主要來源，家裡還有丈夫孩子呢。

所以每次我說上海是母系社會，女權為大，女人地位高於男人的見解時，不但得到台商朋友的拍案叫絕，更在識與不識的上海朋友之間，得來表情大異其趣的認同，女人挺起胸膛說「本來就是」，上海男人聽了只能咳咳乾笑。

台商娶上海老婆

台商和上海女人結婚，娶了上海老婆，成為上海女婿，絕大多數的理由都是「真的喜歡、真的愛她」。我絕對相信愛情無國界，真愛的力量足以克服一切阻礙，因為我目睹了一個接一個的台灣男人，縱使在台灣已經有同居數年的女友，甚至有老婆、孩子、有家庭，為了喜歡上海女人，不理會台灣母公司的內規、派駐前的告誡，甘冒被辭退的風險，也要娶進門。

台灣男人絡繹不絕，不顧父母親老人家、太太孩子一把眼淚一把鼻涕的規勸，不計後果就是要娶，不得不讓人佩服江南佳麗的魅力，真正領教了蘇杭出美女的說法果真名不虛傳。有個台灣來的小老弟，為了喜歡為了愛，看上新歡離舊愛，在上海的數年之間，竟然創下離下兩個老婆、結了三次婚的紀錄。

第二類娶上海女人為妻的人，其原因是台灣女人眼界高、難伺候、不好養，在島內很難找到「理想」的對象。我說的是：在台灣月入四、五萬的中級職員，家無恆產又沒有長輩的奧援，學歷、專業技能並不突出的男人。他們高不成低不就，在台灣想要娶老婆，除非再加上阿諾的體型、或有金城武的臉蛋、或有吳宗憲的口才，否則還真是個不容易達成的願望。

到了上海，這樣的平凡男子頓時成為身價暴漲的單身貴族，擁有推不完的選擇權，不但台商朋友願受委託樂於介紹，更是上海同事、朋友、員工眼中的寶。

從台灣派來上海的普通大學生，薪水加了四、五成，每個月還有幾百塊人民幣的零用金，當然身邊會出現第一手、第二手、第三手的對象，供他挑、讓他選，有名牌大學的、有模特兒身材的、有小燕子臉蛋的，身價紅得會燙手，想逃也逃不掉。

結果，這類型的台商或台籍幹部眼光變高了，大部分會挑上外貌出眾，且學歷、能力比較高，也就是男方心目中可以「幫夫」的作為結婚對象。說實在，台灣男人算是高攀了。

例如台商高先生，本身高中畢業，年過三十，在台灣時，不是不想娶個好老婆，而是不敢想。任職上海期間，身邊盡是具備心目中「理想」老婆條件的女子，後來他挑了個華東師範大學英語系畢業，老丈人還是教授的美眉當老婆。華東師範大學在大陸位居全國八大名校之一，評價甚至高於上海復旦、交通大學。

高攀另有一型，是因身體、經濟或其他原因在台灣根本娶不到老婆，乾脆直接到上海找對象，解決終身大事。往返兩岸期間，我不時會碰到同一班飛機的台灣旅行團，組團的目的就是專程去杭州、上海等地物色老婆。

第三種迎娶大陸女子的台灣男人，純屬擦槍走火、意外失手導致。他們原來的動機只是想要找個女朋友做伴，打發無聊時間，想得單純，認為付錢了事的做法簡單：反正雙方各取所需，應該不會出事。寂寞難忍的台商就是打這種如意算盤。

可是台灣的老婆，沒辦法接受這種似是而非的解釋，大吵大鬧，搞得台商有主動的、有被動的，不得不結束台灣的婚姻關係，另起上海的爐灶，二奶成為孩子的大娘，典型的擦槍走火。

另有一種擦槍走火造成的兩岸姻緣。單身的台商主管，在上海美眉的眼中是金龜婿，你要和她玩假的，她偏不依，說什麼也不會讓到口的肥肉飛掉，運用關係、運用人情攻勢、運用肚中小孩，搞到最後不得不投降，騎虎難下，原來玩玩上海女人的動機，變成結婚收場。

台商長腳劉，是咱們一伙朋友中公認的獵豔高手，女朋友不停的換。大家在接到「結婚通知單」時，一時還搞不太清楚是哪一位有如此能耐，將長腳劉套牢。婚禮宴客當天到現場一看，老天！是KTV坐檯的。

朋友們至今還找不出長腳劉和條件最差的對象結婚的理由，直接質問也得不到答案。大家猜是不是受到「脅迫」，受到「威脅」？因為不到半年長腳劉就當小女孩的爸爸，結束上海的風光歲月。

很多台商早就把台灣的事業全都搬來上海，只有家還在台灣，他們單身在滬，和歡場中女子交往，卻不知道對方可以找大陸兄弟撐腰，把良家婦女的肚子搞大，結果對方找來背景很硬的社會賢達，除非不想辦廠投資，否則只好乖乖把良人娶進門。

第四種締結大陸姻緣的台灣人，屬於純粹找伴型，不以愛情為出發點，卻也不是動機不良。像是台商張先生，從事電子零件買賣，每個月必到上海，數年前台灣太太逝於癌症，留下兩個小孩，人長的一般，財務狀況也還可以。張先生不是沒想過給小孩找個後媽，但是台灣女人願意委身當後母的難找，兩個幼子留在台灣，乏人管教養育，經朋友介紹認識著名大學畢業的上海女子，張先生感覺對方品行談吐能力都不錯，於是明媒正娶。

老兵老王的故鄉在寶山，在台灣打了比半輩還長的光棍，好心的老鄉見他晚景可憐，有錢沒處花，介紹年齡差兩輪、也算是知識份子的寡婦給他做個伴，滿意之餘，乾脆移民上海長住彭浦新村養老。他自己還鄉定居，也介紹其他老兵回滬，促成數對好事。

當然還有其他類型的兩岸婚姻，有的是為了來台灣、去美國，有的是為了拿到某種事業的經營特許權，但這些都是少數個案，上海當局核准兩岸婚姻日趨嚴格，以合法婚姻掩護非法行徑的意圖，得逞者不多。

上海老婆的真心話

碩士學歷，任職某跨國公司的劉先生，每個月必到上海出差，經介紹認識某著名醫院的醫生，經過數月的交往，年過四十的他滿意極了，終於可以堵住台灣眾親眾友、三姑六婆的嘴，找到身分相配，自己又喜歡的對象，準備結婚。

結婚的條件，照女方的說法很簡單：第一，不准辦理按揭，要用現金，用女方的名義買套商品房。第二，每月收入的三分之一，作為奉養老人家的感恩費；

三分之一作為家用；三分之一作為太太的私房錢。

第二位主角，也是認識○華醫院的醫師，經過年餘交往，雙方老人家見過面，同意這門婚事，朋友們極為看好、祝福，認為這位醫師不同於其他愛慕虛榮的上海美眉。可是，婚事最終還是吹了。對於只有專科畢業，壓根而從沒想過移民的男主角，要他承諾婚後送太太到美國留學，一圓佳人畢生的夢想，實在是強人所難。

這樣的「故事」說不完，牽涉的男女雙方都是正經人，嚴肅看待婚姻正經事，因此聽到其中情節的朋友，沒有人當成笑話，只是費盡思量想不透：上海女孩，為什麼有如此想法——自己的父母要養是應該，老公的父母就可以不要養？還沒有結婚就擺明要對方送房子，要存私房錢，要零貸款，還要出國，這是好想法還是壞觀念？

婚前故事說不完，婚後的，那就更可觀了！

我在台北的家靠近士林夜市，有次在上海碰到剛從台灣探完親的上海女孩，問起曾到台灣哪些地方玩。新婚的台灣太太說起幾個地方，其中有士林夜市，我問她覺得這地方怎麼樣？

「士林夜市好髒好臭，賣的東西又不好！」

「士林夜市可是台灣有名的！」

「一點都不好！東西不高級，東西又不好吃！人又多！」

「那可是日本觀光客，外國觀光客喜歡逛的地方！」

「我又不是日本人，為什麼要逛那種地方！」

⊙%╳△&☆！……

「摩托車那麼多，交通那麼亂，晚上吵死人，害我女兒都睡不好！」

「東西又貴又難吃，難吃死了，什麼陽明山的土雞、燒酒雞，還沒有三黃雞好吃！」

「鄉下這麼落後，我還以為是什麼大房子，蚊子這麼多，一點都不好玩！」

「說的客家話，我又聽不懂，又這麼大聲吵死人，不想回去了！」

「我還以為台灣多好，還沒有上海好，住的地方這麼小，沒有上海舒服！」

「（老公）那些朋友沒有水平，請我們去吃石門水庫的活魚，設備又不高級，又不好吃，還不如上海隨便挑一家，都比它強！」

一開始，我就發覺一個頗值得玩味的現象：人多的場合，請教上海老婆對台灣的觀點，除了少數的例外，評價都不錯，也樂於多介紹女朋友給台灣老公的朋友認識，推銷台灣男人簡直不遺餘力，有作媒婆的架勢。

私底下的接觸，話就不同了，有幾次我找台商朋友不在家，便在電話線上和朋友的上海老婆聊上幾句，經常可以挖出一大串不滿與失望。如果聽兩位以上的上海老婆談台灣，保證沒有一句好話。我在自家經營的火鍋店中，常常會碰上湊在一起玩樂的上海老婆們，談起台灣，沒有例外，全在罵：親朋好友沒水準、小氣、罵鄉下環境差、罵住不好、吃不習慣、罵台灣人瞧不起人……甚至罵起公公、婆婆，用字的直接與強烈，保證聽者宛如經歷一場震撼教育。

我覺得可玩味的地方是，既然對台灣有那麼多的不滿，又為什麼樂於介紹朋友給台商？在老公及台商面前又諸多保留？最終我想通了，上海女人認為嫁給台灣人是光耀門楣、很有面子的，但婚後發現，台灣老公光鮮的只有門面。

五萬對以上

根據入出境管理局規定，每年三千六百名大陸配偶可定居台灣，完成排隊手續的人已排到民國九十八年（民國八十九年七月統計的登記人數），由此數字推論，台灣人娶大陸妹，人數不會低於五萬。

如果修法准予延長探親期限，准許大陸配偶在台求職就業，大陸配偶可獲准加入全民健保，准予簡化入境手續，取消到香港拿簽證的麻煩……，可以預見，台灣人每年進出大陸二百萬人次，長駐中國五十萬的人數，必定大幅增加，兩岸嫁娶結婚的配偶數，絕對也會大幅攀升。

放寬大陸配偶的定居條件，相當然耳會排擠國內婦女的結婚機會，搶佔目前菲傭泰勞盤據的勞力市場，甚至爭奪台灣婦女的就業市場，讓台灣婦女在「二奶」之痛的心頭陰影上再加一痛。在台灣，公共場合聽到年輕女人操著一口濃重的大陸口音，很少不引起周遭人側目的。

大陸妹願意嫁台灣人，條件這麼多，到底是愛還是喜歡，是為了肚子裡的孩子？是為了過更好的生活？還是為了父母家族而犧牲？或是想用身體作為工具以擺脫落後的故鄉？社會學者、晚晴協會應該調查追蹤，兩岸男女結婚後，幸福美滿的比例有多少？

已經有這麼多的大陸女子嫁作台灣婦，就我所知，上海太太多半抱怨連連，為什麼還有越來越多的大陸女人願意嫁到台灣？上海太太的感受，將來可能變成大陸太太對兩岸聯姻的看法，我們應該試著去了解，上海老婆既已達成願望，為什麼還要抱怨與失望？

「老公騙人！」這是上海老婆最不滿，抱怨與失望批評最多的地方。

只要年齡的差距不過於懸殊，體型外貌交代的過去，上海女人嫁作台灣婦，豈只個人，家庭也跟著升級，成為眾親諸友羨慕與巴結的對象。可是上海老婆既然嫁了台灣郎，承受的壓力，非局內人很難去想像。

朋友的上海老婆表示，不管她以任何理由向親朋好友解釋，說台灣丈夫只是個上班族、小工廠的老闆，依然絕對無法讓人相信，再說多了就被親友說她矯情。所以，住房要換，行頭、消費、全身上下都要換，父母親也要跟著換裝，以搭配女兒成了台灣媳婦的身價，不然，不但達不到炫耀的目的，反而更叫人瞧不起，斷了親戚朋友的往來。

住房要升等：棚戶區當然再也不能住，當然更不可能比照上海住房緊張的模式借住娘家。租屋當新居，不是不可以，只是必定遭受姊妹淘們評點批判，遭受至親長輩們說三道四……，如果嫁給台灣人，沒有自購的房子，提供打麻將、聚餐、聊天、冬天泡熱水澡的大浴缸、給親朋姊妹暫住的方便，在上海是非常嚴重有失面子的大事情。

裡外大變裝：便宜又實惠，自小長大用慣、穿慣、吃慣、使用慣的物品，都要忍痛拋棄，例如花露水、美白化妝品，今古牌內衣……都非得換成香奈兒、黛安芬、VERSACE、LECOME、ARDN、CUCCI、PRADA……，不但要有實物擺在家裡展示，還要注意該用外文發音時，不能用中文，不然會被視為裝窮、做作，違反大家公認台灣媳婦不可能沒錢的觀念。

出手變大方：逛街時，沒有司機、沒有自用轎車的台灣媳婦，最起碼「應該」能隨手招小車（計程車）代步；國產品牌的專櫃不能逗留，個體戶的小餐館不能進，未婚時常去的主題餐廳、咖啡廳、PUB、紅茶店……不能亂進，進去了就要說得出光顧的理由，如此才能維護台灣婦的面子。

嫁為台灣媳婦之後，走親訪友，紅白事的往來，即使不被尊為主人，定必奉為貴賓。再也不能依上海的習俗，用奶油蛋糕、二百、三百去打發應付，禮物禮金的出手千萬省不得。如果犯了和身價不搭調，小家子氣的錯誤，嚴重的會禍延台灣人的親家，讓雙方家族都失去面子，夫妻縱有深厚的感情，也難以阻擋蜚短流長、閒言閒語的外力衝擊。

五星級教育：小孩的吃喝穿用，台灣親友送的就足以維護面子，好應付。難的是「台灣人的小孩」，上海的普通公立幼兒園、小學不能就讀，讀了沒有面子，要讀私立的，要讀美國學校、國際學校，才能展示台灣人的身價不同於一般上海小孩。要不至少得聘請一對一的家教，學英文、鋼琴、舞蹈、電腦，說明小孩的爸爸是台灣人，不是上海人。如果孩子就讀公立學校，那贊助費、尊師費，出手更是不能寒傖，不然閒話事小，孩子受到的款待夠瞧。

所以不能怪上海老婆的價值觀、生活觀、理財觀、消費觀、倫理觀、交際觀、教育觀……樣樣不同於台灣，實在是身為台灣婦，人在上海，身不由己，有環境的壓力要克服。

上海老婆的處境，有太多的台灣老公沒有去深思，沒有想通，沒有注意，以為結了婚，上了手，就可以參照台灣習俗的規範，嫁雞要隨雞，就要按照台灣的規矩辦事。甚至還有台灣丈夫秉承傳統——要上海老婆一切得聽老公的，要做個以丈夫為主，不能囉唆，不能插話，不能煩的台灣式太太。

至於婚前的答應、計畫、承諾，說實在的，有些台灣郎真的是吹牛吹過頭，根本做不到，只不過是戀愛期的遊戲語言而已，當不得真。台灣郎總想，既為夫妻，就要同命同苦同打拼，和台灣夫妻創業的模式一樣，婚後再計較婚前種種，實在沒有必要，徒增煩惱；他們哪知上海姑娘抱的是嫁人過好日子的心思。

離婚的理由

台商老公一廂情願的想法，上海老婆卻不這麼同意，認為沒有義務要陪你吃苦。

愛戀期間，吃飯必上有名的餐廳，娛樂必上錢櫃、Galuxe、Casablanca 迪斯可舞廳、Full House（PUB），到歐登打保齡球喝紅茶，到花園酒店、華亭賓館等五星級飯店喝咖啡，有付小費的習慣，小費出手就是上海工薪階層數天收入……。這樣的男人，的確是託付終身的好對象，不但可解決自己的生活，更能改善家庭的處境。

結婚是實現承諾的開始，嫁作台灣婦，一心以為憧憬可以成真。及至婚後，發覺換個臉孔似的老公，錙銖計較於生活的開銷，不再上餐廳、不再到 PUB、不再去歐登，不再喜歡自己的朋友、姊妹淘，婚前答應的承諾都縮水了，連房子的地段、坪數也跟著縮水，從徐家匯住到閔行、莘庄。

更嚴重的，回台灣探親時，想像中的自用大轎車、別墅、菲傭、天天逛百貨公司、吃大餐……全都變了樣，才知道老公不過是公司的中級幹部，不是老闆，更不是不得了的有錢人，還有貸款要付，還有公婆要奉養。

「被老公騙了！」這是上海老婆普遍的結論。嫁作台灣婦，反而要開始省錢，要節衣縮食，要開始搭公車，老公不再體貼，不再有求必應，現實和理想的差距越來越大，說老公騙人，理由與證據可十分充分。

上海姑娘越來越精，之前提過的上海女醫生，就是經過高人指點，提出了結婚三條件說：現金買屋不按揭、奉養丈人、老婆管錢。所以，當筆者看到上海老婆不滿與失望時，不意外；看到上海老婆「另找方向」時，不意外；看到兩岸夫妻蜜月期過後開始爭吵，為了蒜皮小事而鬧，最終走上離婚收場時，也不意外。

離婚，當事者當然都會受到傷害，都會有不滿的情緒，攻擊性的說辭。台灣老公不滿上海老婆不懂三從四德的教養，不會招待親朋好友，只喜歡打麻將，不如台灣女人能幹，不懂體貼先生的辛苦。上海老婆則不滿台商老公的小氣、囉唆、會管人，隨手一抓都是離婚的理由。

據我觀察，雙方都避重就輕，都撿有利自己的部分講，都沒有說到重點：上海與台灣之間，原來就有極為不同的生活方式，極為不同觀念有待融合，在其中找到雙方都能接受的平衡點，各退一步想才能有助於溝通，才有利於婚姻，才不會離婚。

在我周遭的中、台離婚事件裡，有兩件事值得提出來供讀者參考：

台商黃先生，為了全力挽救大陸的事業，為了和上海女朋友結婚，不惜和台灣太太離婚，賣掉羅東的房子來紓困，兩個小孩則暫寄父母親養。然而他投資事業的成果不如預期，以致很多婚前的承諾沒有兌現。

租居上海的黃先生南征北戰，往來兩岸，在上海的時間反而不多。有一天回到上海找不到太太，打聽之下，太太已經因「下海」被拘留，一氣之下，找老丈人說要離婚。老丈人理直氣壯的說，都是女婿沒有兌現承諾，家用不足才被逼下海，都是台灣人的錯，如今離婚可以，付十萬。最終黃先生還是以十萬結束婚姻關係。

古北新區的許先生，從事工藝品貿易，每月必至華中地區驗貨，幾年下來，台灣離了婚卻在上海結婚。年餘以後發覺管理員語帶玄機，終於捉姦在床，男的竟是太太的舊情人。離婚由許先生提出，可是太太不肯，亦不搬離古北新區的僑匯房，許先生不得不提出告訴。法院判決離婚成立，可太太就是不肯搬離住處，再訴諸法院，法官建議先協調，最終達成許先生支付十五萬元人民幣，當作太太的「創業基金」。

黃先生以十萬解除婚約，許先生以十五萬送走前妻，為娼者、通姦者不但無罪，還獲得創業基金補償青春，合理嗎？台灣的觀念中，當然不合理。可是在大陸人的想法中，從台灣老公手上只挖到這種小錢，太不值了！因為大陸婚姻法中，沒有通姦罪這一條，通姦是可以當成離婚的條件之一，可是沒有定罪的法源。因為，大陸是重視「事實婚」的國家。

同居就是事實婚

「事實婚」是大陸百姓描繪婚姻關係，約定俗成喊出來的專用語。照他們的說法，同居的事實，等同於結婚，只差登記手續尚未辦理而已。事實婚雙方如果有爭執難解的問題，請求公正人士或街道辦事處調解時，為求公平不偏袒，調處原則亦以婚姻關係視之。

前文已經說過在大陸結婚登記簡便，離婚手續容易，當你聽到登記的理由，是因為孩子即將出世、甚至長大即將入學，是為了應付戶口檢查省得解釋，是為投宿的方便，不得不正式登記成為夫妻時，不要感到奇怪。在以前，連結婚都要當局審批核准時，大陸不知有多少男女同居幾年後才等到證書下來，形成今日以同居視為結婚的觀念。

當你聽到大陸夫妻已經離婚各自有姘姘（姘頭，婚外情朋友），另有「方向」，卻還住在一起共同生活時，也不要奇怪。這也是「事實婚」的特色，是順應住房緊張的權宜之計，如果堅持對方得搬出去才叫離婚，那麼這碼事可能十年辦不成；大家在意的是共同生活時有沒有性關係的事實，至於是否登記離婚或結婚，完成雙方法定的手續，反而不重視。

以致在上海的台商，有一個極大錯誤的誤解，以為同居，住在一起，和台灣一樣，可以好聚好散，除了孩子棘手，比較麻煩外，同居並不需負擔法律上的責任，可以不用支付離婚贍養費，可以用極小的代價，得到超值的享受，可以全身而退。

誤解的後果，除了前述「擦槍走火」而結婚的案例外，更有很大部分台商栽在事實婚所形成的輿論包圍中（調處人的輿論，有相當法律效力），因而付出可觀的「青春費」，以善後同居交朋友的代價，也毫無例外的付出以女朋友名義代購的房子，作為事實婚的補償費。

因此在上海，不能不知道有事實婚存在的事實。想佔便宜之前，千萬要想清楚，不要輕視事實婚的威力。

婚姻投資如何保本

當我把事實婚的概念說給「存心不良」的台商朋友聽時，有些鐵齒的人，不以為然。對於不當一回事的人，我必須使用很鄉土的台語，直接把話說清楚：同居、養細姨、包二奶，都是事實婚。

同居，又有性關係發生，當一方提得出證明時，照大陸的習慣，就等於結婚。「弱勢」的一方要求補償、要求救濟，是天經地義的（天地良心，真正的弱勢者不知是誰呢！）。台商如果運氣不好，碰到扮豬吃老虎的高手時，想藉同居、「交朋友」的名義脫身，根本沒有贏的機會。

當地報載，有位在徐家匯新○○KTV坐檯的美眉，原來和港商如膠似漆同居一處，當港商要求分手時，美眉得到青春補償費。可是美眉覺得太少，要叫港商再流一次血，港商當然不答應，美眉即動用關係施壓，港商無奈只得再付青春損失費，並且立下協議書，從此以後兩不相涉。但是美眉認為港商還有血可吸，於是獅子大開口，想再拿一次補償金，最終美眉臉上被人劃了一刀，街坊有人猜測說是港商氣不過，叫人動的手。

台商圈中人稱「鐵齒幫主」的葉先生，不是說他不好相處，相反的，葉老大具有草莽性格、英雄魄力、說話風趣。說他鐵齒，是形容這傢伙什麼都吞得下，所向披靡，非常厲害。也許夜路走多了，總會碰到鬼，葉老大交往的一位美眉需索無度，讓葉先生幾次斷然拒絕，終於雙方鬧得不歡而散。葉鐵齒以為給她臉色就能打發她滾蛋，賺到了！省事。

事後沒幾天，不速之客葉夫人忽現上海，說有○○小姐電話告狀，不解決不處理，將如何如何。葉鐵齒這才知踢到鐵板、碰到高手，為了不讓事態擴大，不得不付出補償費，之後又在夫人面前簽下悔過書。玩弄別人感情與青春，一定會付出代價，「事實婚」的風俗習慣，頗有台灣可借鏡之處。

大陸同樣施行財產登記制、夫妻共同財產制。為了同居的方便買房，或買房而有了同居機會，台商以為事前和女方說好、談好，甚至還簽了借條、證明書，可以高枕無憂，認為用女方名義買的房產分手後可以債權形式索回，可以人財兩得不吃虧。

這種心態的同居關係很少不搞成勞燕分飛的結局，在女朋友父母、親友出面下，台灣郎不得不投降。有的人不認輸，請教律師，律師提議說，最好用協調的方式解決，最好不要鬧翻，否則第一條就先犯了偽造文書。台商毫無勝算，就當作花了學費得教訓。

為了對抗大陸房產政策、財產登記制，台商用上海女友的名義買商品房，以為佔到便宜，結果日後「人、房兩失」的例子太多了。所以我常對想偷腥的朋友用實例說明事實婚的殺傷力，勸他們不要玩同居的遊戲，除非你心狠手辣，也不怕對方耍狠。

有位蔡姓朋友準備和女同事結婚，向我探詢房價行情，我告訴他，不怕一萬，只怕萬一，大陸施行登記制和夫妻共同財產制，重點工作不是看房、買房，是先回台灣向地方法院公證處，申請單身證明，先辦結婚登記，登記手續完成後，再看房、買房，籌備婚禮、宴客，毫不衝突。最大的好處，是保護自己，萬一有狀況發生，還有主張權益的機會。

然而蔡先生卻先購屋同居，再來籌備婚禮。「事實婚」後不久，蔡姓朋友眼中「會理家的、他很瞭解的、台灣式的」太太，和男朋友舊情復燃，趁老公出差帶男人回家過夜，事情鬧開後，由於沒有正式婚姻登記，蔡先生以同居人名義買的房子連一半都要不回來。等蔡先生知道可以主張事實婚時，所有同居的證據都銷毀了，就算主張事實婚，誰居於「弱勢」還得調處單位認定，蔡先生也不一定勝訴。

想要和大陸女子「事實婚」、正式登記婚姻的朋友，不妨參考下列保護自己的方法：

以大陸同居人名義買商品房來搞同居、事實婚的台灣人，為了避免雙方分手時連說話的資格都沒有，就被人掃地出門，落得人房兩失，可參照前述「旁門左道保護自己的買房策略」篇中，用「租回」的方式，和同居人訂定租賃契約。租約載明你花了多少錢向她租屋，租約期限可長達十年、二十年，拿給律師或相關政府單位公證，雖然不保證絕對有效，嚇阻的功能還是有的。

要在大陸購屋成家，嫁或娶大陸配偶，絕對要堅持婚姻登記手續完成後，才置產、才買房、才開店，以防最糟的結果發生時還有說話的權利，還有資格取回一半投資的機會。這是借助法律功能的牽制作用，幫你維繫婚姻關係。

總而言之，大陸既稱「新中國」，既標榜「有中國特色的社會主義」，在投資經營管理上當然有不同於西方和台灣做法；其實，大陸人對婚姻、對男女關係、對「性」，觀點和處理方式也和台灣大不相同。大陸各地之間更有因地域、民族、風俗、習慣、教育程度、個人性格、背景、行為模式……等不同因素而有迥異的兩性關係觀點。因此，我的觀察心得主旨在於提供有意兩岸聯姻者思考方向，著重於事前防範對方居心不良，而不是事後保護自己人身財產。處理大陸人與事沒有萬靈丹，不要以為台商有投資優惠條件的保護，就可以事無所懼，也不要忘記，婚前的保護協定和投資辦廠一樣，正當的、正常的兩性關係才能得到保障，例外不保、法外不保。

第三章

上海小老婆

晚晴協會某位幹部四月份的時候，在電視節目「戀愛講義」上信口形容，恐怕有百分之九十的大陸台商在搞婚外情，甚至包二奶養二奶。這個數字當然不可信，未免把台商形容得太神勇，如種馬似的，好像台商個個精力過剩終於找到用武之地，到了大陸只會投資二奶、經營二奶，對大陸的投資是為了二奶而去似的。

養二奶包二奶搞婚外情，台商當然有份，可以說所有的外資都有份，在香港已經形成社會公開討論，無法解決的難題，情況可以說比台灣嚴重多了。事實上，豈止外資有份，當地人也有份。朱鎔基總理在嚴懲貪污腐化，打擊肅貪的檢討會上，不止一次指出，不正常男女關係爆增的開銷，是貪污腐化的源頭，所以肅貪要從男女關係的調查開始。廣東省更為了減少社會的爭議，擺平上訪請求救濟的案例，正著手修改婚姻法、財產分配法，以徹底解決二奶衍生的問題。

二奶的問題，婚外情發生的原因是複雜的，絕對不是台商去大陸就會發生，不去大陸就沒有二奶問題。危言恫嚇或自貶台灣女人的吸引力，不但無助於問題的解決與探討，更扭曲台商投資大陸的意義和台灣女人的價值，某些協會實在沒有必要擴大問題。因為，除了數字根本不可能成立之外，她們更忽略大環境的結構已經改變，固有的、傳統的男女關係相處的遊戲規則已經鬆動了。

發現老公養二奶包二奶婚外情，立刻一刀兩斷，這是解決問題的方法嗎？我深信，這麼蠻幹只會逼得台商根留大陸。一定有人說我這是完全站在男人的立場說話，恕我直言，這麼指控我的人並沒有站在多數女人的立場講話，女權，不過是她的權力籌碼之一而已。

二奶沒有錯

男女平等，自古以來從沒有發生過。共產黨秉持社會主義，極力推動男女平等而打破傳統，「解放中國的婦女」，響亮的口號不但贏得前衛、思想先進婦女的擁護，更在取得新中國政權時扮演著絕對舉足輕重的巨大力量。新中國成立以來所賦予婦女的地位，是中華民族有歷史以來最崇高、有最多保障的。

可是，中國共產黨成立已滿百年，新中國也慶祝過五十歲的生日，大陸婦女的地位，僅只是職位分配的增加、同工同酬，就可以反映男女已經達到真正的平等？數千年來達不成的任務，改不了的陋習，這五十年、百年就完全改善了嗎？縱使有當政者努力的推動，社會輿論要求真正落實，大陸的男女平等狀況，的確呈現出不同於台灣的面貌，女性擔任高官的機會是比台灣好一些。女主管大增，指揮管理一大群的男人：太太的職位、收入高於先生，是正常的，先生不會覺得沒有面子；但這樣的實例就充分反映了男女已經平等嗎？當然沒有。

不說在內陸與偏遠的山區，縱使在已經享受改革開放成果的沿海和大都會地區，除了特例外，女性依舊遭受不平等對待：所獲得的教育投資少於男孩，提早就業、提早自力更生、提早負擔家計的現象，依然明顯的存在著。因此，多數大陸女性謀生專業的技能，遠不如男性，加上生理、體力、精神、時間使用（如女性較不適合夜間長時間工作）等先天性差異，導致女性的收入還是少於男性，真正平等的現象，並沒有反映在現實社會中。

問題來了，不甘心收入少於男性，不願雌伏，收入不足用以享受改革開放帶來的物質進步，怎麼辦？不用說男女平等，連女人之間都不可能平等，有些女人天生就是比較美，因此她們有了「另闢蹊徑」的資格。女人當然可以憑藉學歷、資歷、努力而享有更好的生活，但還有些女人更擁有天賦的本錢，可以使自己（輕鬆地）達到相同的結果，能夠說二奶們有錯？是先天就喜歡當二奶？

包二奶是成就的象徵

養二奶、包二奶、搞婚外情的理由，每個人隨便都可以舉出上百條，當事人如此，非當事人旁邊呼天搶地的諸親友也如此。但我敢說，男人養情婦的共同原因只有一個：顯示自己是有能耐的男人。這個理由絕對佔最大的比率。

養得起！這是大陸男人養二奶的最大理由，廣東省修改婚姻法，保護的對象當然不是二奶，也不是非婚生的子女，而是元配和婚生子女。修法的重點是保護元配有參予財產分配的權利，針對養二奶搞婚外情的男人，法律強制他們必須付出更大的代價，二奶得到的，元配一定也要有，以嚇阻男人在性版圖上展現魄力和野心的企圖。

養得起！也是台商在大陸養二奶，養情婦的經濟因素，但台胞又比港商多了若干「花得起」的背景，更是火上加油。台灣人對養情婦這種事喜歡有意無意地張揚，以顯示自己很「屌」，不像香港人與老上海多半低調，以致於台胞經常把包二奶的事情搞得不可收拾。

花得起的「花」，一語雙關。即使是中階經理、小企業老闆，相對於上海多數人而言都算富翁，當然有能耐花錢。此外，週休二日和下班後，沒有休閒去處的台商有很長時間可花；隻身赴任者沒有家室陪伴、少了故舊間的禮尚往來應酬，台商有充分體力可花；異性主動示好後，覺得被人重視、被人需要、被人暱稱老公、大哥，自比是張學友第二、周潤發第二的潛能被激發，有魅力可以「花」；位高權重的台商更不在話下，麾下數百人者莫不被巴結被拍馬屁，享受到權力的滋味後，花錢也花心。

小老婆的要求合理

曾經有台商在飯局閒聊中隨手掐指估算，每年端午、中秋、春節三節，昆山地區的台商恐怕要付出五千萬人民幣以上的安家費與奶粉錢，數字很驚人、很誇大嗎？一點也不！推估方法很簡單，至少有十萬名台商長駐此地，其中「只有」百分之五的台灣人包二奶，這五千個台灣人一年三大節日的紅包各花一萬人民幣算是低估了，這樣算算，五千萬人民幣還真是個小數目呢。

到底有多少的台商幫二奶置產、付安家費、奶粉錢，上海小老婆掙了多少外匯？正確的數字，相信神仙也計算不出來，某些協會說有九成的台商包二奶，那麼五千萬人民幣的「例行逆差」顯然是低得離譜的估計值。

就我所看到的例子而言，並不是每個上海小老婆只想揮霍覬覦台商的錢，多半還兼具菲傭、泰勞的工作，以這樣的工作內容來算，相信台灣的太太們都會同意一年花三十萬台幣也值得。再者，台商在大陸承受的壓力，處境的艱難，絕對不像表面的風光，有人肯照顧自己上班之外的起居，還願意聽自己吐苦水（不管真心或假意），甚至關注身體狀態，在自己心肌梗塞、血糖低昏迷、胃痛、拉肚子、頭痛等意外發生時緊急送醫，這樣的兩性關係會不進一步發展嗎？

如果從這個角度看二奶問題，二奶收取的置產費、安家費事實上不過份，因為她們付出的代價也不輕。站在二奶的立場看，她也是父母養大的，尤其大陸還實行一胎化，奉養父母根本責無旁貸，二奶付出青春的代價卻沒名沒份，基於現實的考量，收取「青春費」、「安家費」以保障不可知的未來，能說她們不對嗎？比較過份的是與二奶生下孩子，但如果真有了小孩，不管在世界任何地區，都該養育，光挑大陸來議論，不但解決不了問題，亦違倫常與道德。

包養二奶風氣形成的原因很複雜，該怪罪的不只是老公與大陸小老婆，若干處理外遇個案的協會大肆撻伐台灣老公，不客氣地說，這麼做只會把問題搞得無法收拾，反而更不利於台灣的太太、女朋友。不只製造更多的怨婦，也不利於台商在大陸延續事業，不利於管理投資人才的派遣，這筆帳如要詳細的算，輸方絕對是台商與他們的台灣太太或女朋友們。

因為，婚外情一經發現、立即決裂的處理態度，台商除了付錢分財產，可能當事人從此成為大陸女婿．再也不回頭了！不只是台灣多一個破碎家庭，彼岸更輕易就讓台資企業根留大陸，為了進一步說明大陸情婦的各種形成原因和後果，以下舉幾個典型有關二奶的實例供大家參考。

二奶的故事

捅破地下情、台商變中資

評估的投資環境和預期收益，在進駐後才發覺與實際狀況落差太大，上有台灣母公司逼迫的壓力，下有天天處理不完的蒜皮小事，不是想要管，是不管不行，甚至連司機輪誰出車的小事都要出面協調才擺得平。母公司的規章和管理制度不服水土，逼得總經理與高級幹部不得不放下身段，放棄分層負責的原則，事必躬親，不斷進行道德化的管理和協調、勸說，結果心情苦悶無處傾訴、無處宣洩，碰巧有一天在交際的場合，認識談得來的異性朋友，不但教他如何與大陸員工相處，也告訴他如何適應大陸生活，天天見面還不夠，進而住在一起相互照顧。

王總經理心知肚明，派駐時間期滿，就要收拾包裹回台灣，住在一起和一夜情的不同，僅是天數比較多而已。他也明白自己的身份除了派駐總經理外，亦為人夫與人父，所以和上海情婦的交往過程盡可能低調，自己以為保密措施嚴密。可是，紙包不住火，旁觀者不知是替元配抱不平、還是唯恐天下不亂，蒐集王總經理的蛛絲馬跡，彙整片段消息傳回台灣後，總經理夫人到公司吵到大陸鬧，一心想要人贓俱獲，導致火上澆油火更烈，台灣是以離婚收場，元配取得房子、現金作為贍養費，台灣老公則成了上海女婿。

事件落幕後，台灣的眾親好友，大罵王總經理的負心薄倖，拋棄糟糠與骨肉；上海的台商朋友卻異口同聲臭罵通風報信的大嘴巴，把元配引入非決裂不可的絕境，渲染別人的家務事，逼得人家夫妻全下不了台，最後台灣失去了先生與父親，大陸得到女婿。誰輸？誰贏？捅到這一步來論輸贏有意義嗎？

玩心不收的假單身貴族

在台灣要身列公認的單身貴族，需要有必備的條件，門檻不低。大陸工人平均月收入五百至一千人民幣，約合百元美金，相比較之下，派駐大陸的台灣小幹部或是小台商，身價即刻暴漲成為大陸人眼中的單身貴族，當然成為美女追求的、巴結的目標。

真正單身的台灣郎，絕對有被追或追人的自由，可是在大陸偏偏就有那麼多的台灣人——不只是長駐的台商，來觀光的、短期出差、停留幾週的台胞最常刻意地這麼表示：本人目前單身、收入不錯，要不就說和太太感情不睦，相處不來，有離婚可能或正準備離婚，總之，我是準單身貴族，美眉，貼過來吧！

這種玩心還沒收的已婚男人很多，只不過在台灣沒那麼好行情，朝九晚五倒還認份。到了大陸，身價大不同，把個上海美女來證明自己魅力更勝當年，離婚？騙人的啦。

不少台灣人的生意根本是在脂粉陣中談成的，但是當年的阿扁市長與阿鷹市場不知道台灣人喜歡這樣談交易，掃八大行業毫不手軟，門路難找外，亦使費用三級跳。喜好此道的生意人出國也玩，去大陸觀光考察更要玩，語言相通使他們獵野味的行為更不受限，赴投資大陸後，他們除了發現物超所值，更驚喜自己居然養得起小老婆。與其每次費事費時躲公安找門路玩，不如固定養固定包，省事划算。

如此這般，藉考察、投資之名定期前往照顧二奶的台商，才是養二奶真正的大戶；動機不純的準單身貴族，反而是二奶最歡迎、最願意巴結的，因為這些壞男生讓大陸女子以為可以成為正牌台灣媳婦。

路遙知馬力，日久見真情

二奶要的是錢，二奶要的是人，二奶的感情不專，養二奶等於養一家人……有關二奶的負面報導，每個台商未赴大陸前，殷殷告誡的警語已經聽得太多了。殷鑑不遠的台胞，告誡自己不要成為地下情的受害者，心中明白玩玩就可以，沒有必要為了吃奶就去養頭牛。

可是，真正守得住「比朋友親、不及愛情」原則的有幾個人？人是感情的動物，剛開始，台商確實嚴守分際，夙夜匪懈地為事業煩心費神，但世界上沒有幾個人可以經年累月地這麼操。當需要沒有利益關係的人來說話解悶時，正常的男人當然的選擇異性朋友，上海人形容的好：一個人喝咖啡，咖啡是不香的；兩個人吃飯的費用，比一個人大不了多少。

雙方的關係從互相幫個小忙開始，接著是致贈小禮物聊表心意，後來就見面吃飯談談工作的甘苦，越聊越投契，彼此間的話題已經不限於工作，有了「心不設防」的小動作，終至有一天好感已經變成感情，想回頭已經晚了，只有辜負黃臉婆、只有放棄遠在台灣的女朋友，發展婚外情養二奶。周遭的朋友百思不解，為何〇〇時報的副總編輯居然為了上海的陪酒女子，放棄台灣的妻子、房子；〇眾電腦的工程師半年就甩了交往七年的女友……，告訴你，這些台灣男人都是這樣不知不覺無法自拔的。

佔便宜的慘重代價

男人們湊在一起談女人時，個個都愛吹噓自己的英雄事蹟。在台灣想搞一段婚外情，甚至養小老婆，非有相當的身價與能力不可，要不就是名人或身材面貌如明星般，具有被倒貼的條件。想擁有「英雄事蹟」，條件除了錢，還是錢，非錢莫辦。包養台灣二奶的行情開銷每月十萬台幣算是小兒科，在日本當然更貴，富足的台灣人現在真正明白，為什麼當年日本人熱衷於觀光台灣，樂在三條通逛逛，到北投走走的道理。

台商到大陸投資，當然少不了人情事故的應酬，交際的必要性比台灣多，免不了接觸娛樂、交際場所的異性，付點小費、坐檯費。一回生、二回熟、三回交朋友，精於算計的台商掐指一算，每次二百元、三百元，加總起來的支出不是小數目，何不用在更實惠的刀口上？加上台商前輩的指引，年輕漂亮美眉的建議（只要三千塊我就只對你一個人好），更加上心裡不服氣自己在台灣只有流口水的份，如今有機會當大爺，享有成功人士的象徵，實在沒有放棄的理由。

每月幾千元人民幣的費用，不但划算，更有額外燒飯、洗衣、照顧起居的貼心至極服務，不「撩」下去也養個二奶才是傻瓜。

台商自以為聰明算計的同時，已經掉入陷阱。沒有女人願意長久在歡場討生活，美眉委身當二奶，盤算的就是找到戶頭好脫離賣笑生涯。在達成長期目的之前，二奶當然全心迎合老公，用柔情攻勢使男人心軟，接受央求。枕邊語穿腸針，當呢喃細語不斷在耳邊響起時，台商只有不斷的退讓：「每個月多花兩、三千照顧老人家吧」，「儂用阿啦的名義買房比租還便宜呢」，「出國遊覽觀光也花不了幾千塊嘛」，「幾萬塊讓阿拉做生意就不用向儂伸手了」，央求的語調楚楚動人，合情合理。

辦公室戀情發展成的二奶故事，上演的則是贊助創業，出國進修，為了兩人將來前途的央求……，有上進心的女伴不停的求，台商則不停的退讓與付出，直到情況失控了，幾十萬、幾百萬人民幣的錢還無法滿足佳人需索。台商踩的土地是別人的，塑造包養環境的主控權根本不在自己手上，更沒有談判的主控權，在二奶親朋好友軟硬兼施之下，只能丟盔棄甲。

最笨的就是明知掉入陷阱，還不承認自己被女人始亂終棄（不如殺了他），為了面子還是養著這隻吸血鬼一般的二奶；也有的笨人不甘投資二奶的損失，以為對方的需索有滿足的一天；最慘莫過於已經有了感情，只得順其發展儘量應付，過一天算一天。

越難得手我越愛

有中國特色社會主義的國家，有太多的特色，台商一頭栽進去經營管理以後，才發覺「同文同種」的說法與事實不符。台灣人納悶：我們不也是中國人嗎?為什麼難以理解這些中國特色，看似枝節的小問題卻攸關投資的成敗，搞不懂、摸不清，眼前的環境和考察時不同，難題有如大浪撲岸，一波接一波呈現眼前。

有個現象也為中國的特色之一，即女人的辦事能力，交際的手腕，解決難題的毅力與決心，不在男性之下，比台灣女性更懂得以身為女人的方便性來解決棘手問題，特別是有中國特色的社會主義造成的走後門、套關係、找人脈的難題。女性職員和幹部比男性的好用，相信很多台商都有這種感覺和體會，於是重用女人，給她升級，給她加薪，也樂意和她們談業務，交際吃飯。

和女人談業務、聊事情，感受到的壓力比較小，在大陸「那種」環境下，氣氛更自然，往往不知不覺中卸除了爾虞我詐的戒心，更在男人見獵心喜想法的作祟下，開始覺得這位女人不錯。一位在上海做特殊印刷的台商余先生，就是這樣發現上游客戶的女經理除了身材高挑、容貌出眾之外，能力強，容易相處，於是慢慢的由純粹公務轉為帶點私心，開始欣賞眼前的女人，盤算是否有公私兼顧的好辦法。

當男人的心態受到私慾的刺激，開始鬆動設防的底限，有情慾的冀求時，老天都知道，那是很難防止婚外情，走私感情事件的，「準」單身貴族余先生就這麼成為上海女婿了。

喜歡她、欣賞她，因而有了情慾的遐想，得不到又想得到時，怎麼辦？最直接的方式就像投資事業，用實際的物品表達難言的心意，送勞力士、送津貼、送衣服、送鑽戒、送家電、送出國旅遊，乃至送房子。說來庸俗，但男孩子不都是這樣追求女孩嗎？台商的付出如看準了穩賺不賠的投資標的，是自然的、心情愉悅的，有達不到目的不罷手，勇往直前非贏得佳人芳心不可的決心。

二奶的心態

二奶們為什麼明知要做小，明知將來的結果不可測，為什麼願意委身當二奶？因為愛情而無怨無悔，這樣的婚外情女主角比較像是台灣女性，大陸二奶固然也有這種愛情至上的人，但佔據最大比例的情婦是有所圖謀而來，她們可是有長遠人生規劃的呢！

女人甘心被包養，首要原因當然是可以改善生活品質。當二奶被包養，有禮物可收、有錢上館子、有錢裝扮，成套的家庭電器傢具有人付錢，不用摸黑趕早擠公車上班掙家用，原本一輩子難以企及的物質享受，只要點頭就都有了。連女明星都難以拒絕包養的誘惑，出身蓬戶的平凡女子，如果可以最短的時間內購房置產與奉養父母，以大陸的國情，鮮少會拒絕被包養的。

北京、上海已經流行一陣子的問候語是：「離了沒？（離婚了嗎）」，這就是大陸的國情。台商認為是包養，大陸人覺得是婚姻，何況元配遠在天邊，上海的太太就她一位。

大陸固然有很多成功女性的故事在流傳宣導，但相對十幾億人口，好位子好收入簡直寥若晨星。個人基於運氣、學歷、背景等因素，縱使有信心有能力擔負大任，也不保證搶得好位子有好的收入，別人的名利「一步到位」，為什麼我的好日子卻這麼遙不可及？不平衡不服氣的心態確實存於女性的底意識中。

於是，大陸女子不但出來打工，邊打工邊找機會，這也就是外資、台資企業很容易碰到高學歷、見解不凡、辦事能力不錯、年紀輕、容貌又甜的美女登門求職的原因之一。說實話，這種條件的女孩在台灣，心高氣傲的不得了，在上海，卻會讓台灣老闆覺得只給她一千塊的薪水實在糟蹋人。

希望置產、希望出國進修、出國打工，甚至希望遠嫁重洋，以平衡不服的怨氣，更讓身份煥然一新。指望在現實的環境按部就班，要達到目標不是容易的事情，如今有人給她開支票，能贊助她們出國進修，打工改變國籍，有更高的收入，甚至有結婚的可能性，身分可以轉換成老闆娘，二奶們不會笨到搖頭，當面峻拒的更是少之又少。

自七九年實施改革開放以來的前半段，除了沿海已開放的城市外，對大陸人的大鍋飯生活型態，影響並不大。可是自九二年鄧小平南巡加大改革的範圍，九七年朱鎔基擔任總理，給自己預留一付棺材不惜身殉改革，不到十年之間，大陸環境的變化簡直可以用移山倒海來形容。五年之間使大陸的新富階級迅速繁衍，但絕大多數的人依舊在貧窮邊緣，國策就是市場經濟，導致人民認為「富有」才算成功，社會上攀比的是收入、比消費、比住房、比觀光旅遊，所有的人都在找機會，想盡辦法要快速發財。在比賽賺錢速度的社會裡，漂亮的女人可能比能幹的女人更容易達成目標，如果又漂亮又能幹，灰姑娘的故事就會降臨身上。

任職國有單位和企業的前途，她們已經很了解：一生大概就這樣了。中央的政策是讓虧損國企破產資遣，「鐵飯碗」都有可能破掉，任職外資企業不見得不安穩，甚至有較高的薪資收入，自己還較能掌握升遷，因而成為有夢女子的首選目標。台商（或外商）如果能幫助她達成人生目標，甚至不談置產、不談改變身份，只要對目前環境有明顯改善的作用，為何不接受地下情帶來的資助，甚至點頭讓人包養？

上海女子任職的台、外資公司偏重商業機能與高新技術，和沿海工業區招募女工為主的狀況迥異，她們有更多機會接觸白領外商或工程師。上海女孩在外資企業久了，對本國男孩就看不上眼，我的公司裡甚至有上海女孩決心不交大陸男朋友，不嫁大陸人，只挑港、台、華裔為對象。

猶有甚者，有的女孩明講：誰要能、或有本事幫她離開大陸，過嚮往的生活，不說當二奶，當八奶、十奶都願意，這是為自己的前途所作的必要犧牲與付出。在這種預期目標下，她們認為與台、外籍老公之間只是各取所需的交換行為，無涉禮法與道德。道德禮法離她太遠了。

這不禁讓人想到當年亞洲各地嫁給美國大兵的女子。上海人本來就認為自己高人一等，以廣義的中國人而言，上海女孩想嫁條件更好的台、港、華裔中國人，當然是對自己的身材與容貌極有自信才敢有此期待，由此可知台灣婦女面對的是何種「情敵」。

很多台商沒有想過自己的吸引力都是可以用錢估算的，有幸和這種志向遠大的美眉認識之後，以為這是艷福，以為自己的談吐、舉止、思想與成就具有無價的魅力，幾乎不費吹灰之力就贏得美女芳心。哪知只要付錢，有付錢的能力，甚至只要有讓她具備申請來台灣或去美國的資格，一海票的美眉就願意當二奶、當婚外情的主角。一拍即合的良緣讓台商樂壞了。

不只是沒感情的真結婚趨之若鶩，看看台灣的報紙就知道，連假結婚真賣淫的案件都抓不完。為什麼要冒險偷渡，當國際新娘出賣靈肉？為了去日本、去台灣、去條件比較好的地方竟值得自己如此犧牲；你不用住上海，在台灣看電視新聞就可以知道有多少中國人為了離開大陸，不擇手段。當二奶？這還不是普通人可以具備的資格呢。

大陸二奶大不同

男人付錢養情婦、娶小老婆、包二奶，二奶不記名份、付出青春、提供服務，各取所需，自古以來就是如此運作，遊戲規則至今也沒有改變。在中華民族的歷史上，二奶、甚至十奶的次文化，不但沒有中斷過，反而有表彰男人成就的功能，是男人追求成功的原動力之一。某些協會大舉撻伐台灣商人在大陸包二奶，一則似乎把個案當成人人如此的普遍現象，再者，台灣商人在島內就沒搞婚外情嗎？經營之神有三個太太，似乎沒聽過這個協會開記者會痛罵。

與長駐大陸台胞的人數比較，我相信為了二奶而拋妻棄子的僅是少數，還不至於形成嚴重的社會問題。應該注意的是，在大陸包養二奶的台商為何多半落得人財兩失的下場，被小老婆掃地出門之外，連大陸事業也賠進去？

有層出不窮的大陸投資失敗案例，是因為二奶、婚外情所拖垮，許多台商為善後二奶的婚外情而焦頭爛額，浪費大量的時間、精力與資源（挪用投資的錢）在情婦身上。我曾經在電台叩應節目中不經意的開玩笑說，彙總台商失敗的原因，敗在女色、二奶、婚外情的比率，應該不會低於百分之十，結果許多太太、家人打電話進來表示認同：老公把台灣房子賣了，後來才知道養了大陸細姨。

她們說，老公在台灣的時候也「花」過，但從來沒忘記該回家，為什麼人一到大陸就什麼都不顧了？有的台灣太太甚至質疑：大陸二奶有施魔法的功力還是下了什麼藥或蠱？大陸的口音聽起來就怪怪的，為什麼大陸二奶會有這麼大魅力讓見多識廣的老公無法抵擋？大陸細姨功夫太好？雖然很同情這些台灣太太，但問題千奇百怪，有些簡直忍不住令人噴飯。

所有能夠想像出事的原因，大概都有可能，而我認為大陸二奶害台商不淺的原因在於兩岸人民「落差」太大了。

目的的落差　台商養二奶包二奶搞婚外情，動機的始發點只是想找個伴打發時間，說的過份點，有些人只是找發洩情慾的對象而已。老婆不在身邊，和外遇對象就有機會天天見面，進而發展成同居關係，找伴的目的於焉達到。有的台商到了大陸簡直成了脫韁野馬，他們的業務必須經常往來各省，這些花心的男人甚至在別的省分也有「固定的落腳處」。台商的目的是同居，替同居的大陸妹買房子絕非本意。

二奶則不同，絕對沒有女人天生就想當二奶的。願意當人小老婆，心裡想的無非是託付終身、改善身活、讓父母早日脫離貧窮之類的。台商的目標是同居為止，大陸女子的目標卻是同居才開始。

生活的落差　結婚是愛情的墳墓，這句話改成同居是婚外情的墳墓，同樣相當貼切傳神。婚外情階段，有掩人耳目的顧忌產生的刺激和新鮮感，同居後，雙方天天見面，台商認為雙方想「在一起」的目的已經達到了，還有什麼索求呢？於是在金錢花費的用度上會計較，不再上館子吃大餐，不再頻頻到娛樂場所花錢消遣。但二奶實現目標的計畫才剛開始，還窩在棚戶區裡的爸媽正指望她，當然想有更多的錢可花，有更光鮮亮麗的生活讓姊妹淘們羨慕，打麻將可以不再計較輸贏，上館子、上娛樂場所的次數更應該增加才是。

前幾年，上海平均每人住房面積才八平方公尺多，亦即一家人得擠在十坪不到的空間裡，試想：如今住進三十坪大的大樓，豈有不呼朋引伴的道理？兩人世界、秘築愛巢，只是呆胞的可笑想法。

觀念的落差　不同的生長環境，不同的教育體制，絕對會培養出不同的觀念，有些觀念會伴隨個人的一生不改變，一點兒妥協的餘地都沒有。不相容的觀念會導致離婚，基礎脆弱同居的關係更是如此。花心台商的目的很簡單——只對二奶好，照顧情婦，滿足二奶個人需求，至於擴大到滿足二奶身邊的人，會把關係搞複雜，更是過份的要求。要他和二奶的親朋好友交際，或要他遷就同居人的生活習慣，像是每月五千元的包月費要求追加到上萬，二奶關著窗子抽煙、聚眾打麻將、親友長期留宿、餐餐都要外食等等，台商這才發現麻煩大了。

算計的落差 男人養二奶搞婚外情，算計的標準，絕對是想用最小的代價得到最大的收穫——每月萬把台幣就可包下一個美女。二奶的算法不同於男人，青春有價，年輕和貌美是她們僅有的，要在青春最有賣相時取得最大的收益。顯然，大陸二奶對青春所認定的售價，遠高於台胞能負擔的買價。

大陸二奶為了達到目的，開始要求不多、不計較，不如此會把台灣男人嚇跑，反而達不到算計的目的，她會為了節省花費而建議到男方住處，溫馨而隱密是她體貼的藉口，順便摸底是她心裡的盤算。而男人認為包養門檻不高划得來時，多半相當猴急地請女伴經常來住處作客。各懷鬼胎的算計湊在一起，如果雙方的真正底價無法妥協時，結果會如何是再清楚不過了。

台商是最大輸家

表面上，台商在大陸養二奶大搞婚外情的遊戲，是比在台灣划算，傳聞中每月只需三千元人民幣就可以安個二奶窩，享齊人之福。即使花費上萬人民幣，還是划算，難怪在台灣八大行業裡頭打滾多年的台商趨之若鶩，一到大陸突然心就「定」了。

看似單純的銀貨兩訖，怎麼會牽扯出那麼多的問題，影響到台灣的家庭，導致大陸事業的失敗呢？不是說三千元、五千元、一萬元就可以搞定的事情，為什麼冒出那麼多名堂的安家費、奶粉費非付不可呢？

菜鳥的心太軟 在大陸交女朋友，搞婚外情遊戲，進而養二奶的台商，多數是在台灣的朋友起鬨下，或是在女人設計好的陷阱下，莫名其妙、沒頭沒腦、搞不清狀況就一頭栽下去的情場菜鳥。老鳥世面看多遊戲玩多有經驗，不會為了喝杯奶去養頭牛，更不會請她經常來住幾天，斷了自己遊戲人間的後路。

菜鳥最大的通病，就是沒有經驗去處理意外狀況，當二奶告知有孕了，父母親發脾氣要上門討公道，身體不舒服要調養要住院要開刀，前男友、甚至前夫來騷擾，租房不方便買房划算，有個一定賺錢的生意門路，諸如此類真假難判且無法求證情況發生時，菜鳥必定六神無主拿不定主意。請神容易送神難，都已經住在一起了，於是心軟，開了用錢解決的先例，其結果只有不停用數目越來越大的錢去擺平，越陷越深。

沒有談判的本錢

婚外情原本就是法律不容、公司不准、太太會生氣、子女會抗議的勾當，再笨的人都知道養二奶的事情萬一被揭發了，職位可能不保，家庭可能破裂。然而，揭發二奶事件的往往又是二奶自己，呆胞萬萬想不到。

萬一碰上不是省油燈，需索不滿足就要爆內幕的二奶時，台商能夠選擇的空間非常狹小，除了無奈接受勒索，根本沒有談判的本錢。因為腳踩的土地是二奶眾多親朋好友的勢力範圍，二奶可以進駐公司搞你個天翻地覆，二奶早就有台灣家裡電話隨時可以通知元配，台商沒有任何反擊的能力。

台灣輿論幫倒忙

根據入出境管理局統計，每年有二百萬以上人次的台灣人進出大陸，有人估計長駐大陸的台商（包括以港商、英屬開曼、維京等第三國名義進入者），一定不少於五十萬，其中攜家帶眷只佔極少數。如果按照某協會所說的九成台商包二奶，或是邱姓女律師調查的七成五來推算，大家都會不假思索的說，四十萬的大陸小老婆？太離譜了吧！

儘管數字離譜，媒體對大陸新聞的負面報導，卻一向特別有興趣，特別喜歡以個案製造輿論，暗諷大陸人、大陸投資的不是，對二奶婚外情的報導亦是如此。這種報導引述的「統計」資料過於誇大，無知的媒體沒有長駐大陸，因此也無從判斷數字真偽，平白替想出鋒頭的人宣傳。這些婚姻專家、法律專家真想解決二奶問題嗎？

這些嚇壞人的數據公佈之後，台灣元配能夠做什麼以阻止老公包大陸二奶？勸阻大陸投資嗎？傳統產業乃至於電子資訊，台灣的製造業不去大陸就無法生存；勸老公不接受派駐大陸嗎？同一行業裡的所有公司都去大陸了，要老公中年轉行談何容易；跟著老公一起去嗎？孩子怎麼辦？老婆的工作怎麼辦？公司可沒給家屬生活津貼呢。這些協會、單位不但沒有幫上忙，反而把逢場作戲、金錢買賣的行為動機複雜化，一味聲討撻伐、以離婚為二奶事件的唯一結局，不但增長二奶在分手談判時的籌碼，甚至關上老公迷途知返的大門。

三通才是防範之道

依據內政部統計，台灣的離婚率是亞洲最高的國家之一，衍生出不少社會問題如單親家庭的子女教育、離婚過程中的心理與金錢成本等等，我們實在不應該再以大陸二奶問題，替這個不光彩的領先數字推波助瀾。外遇的男人固然惡劣，但並非每個外遇事件都得以離婚收場。

台商在大陸包二奶，情形迥異於台灣男人在台灣養小老婆，大陸女子對於受包養的想法與台灣女人不同，大陸人的一般生活水平與台灣仍有明顯差距，加上兩岸之間往返的時間與金錢成本太高等因素，養二奶的台灣男人雖不像若干協會所描述的那麼高比率，但二奶問題影響了台灣幾萬個家庭應該是不爭的事實。

隨著台灣產業加速西移，此種兩岸「交流」的問題，只會越來越多，兩岸之間將有更多家庭面臨瓦解、重組，台灣有更多的怨婦產生，有更多的子女遭波及受傷害。

怎麼辦？想以離婚作為嚇阻男人偷腥的必殺絕招，這種套路從來沒有奏效過，對多數男人而言甚至不算是一種懲罰。何不從台商男人心理需求的層面下手，對症下藥，縱使有無數的機會面對誘惑，有色心亦有色膽，卻苦無長久相處時間好安排同居，孤單寂寞枯燥的下班時段有老婆親人相伴，就無暇籌備刺激的感情走私之旅。這總比事發之後任何的法律、金錢與精神懲罰有用多了。

所以，要台商減少在大陸玩婚外情進而包二奶的遊戲，說起來很簡單，就是要台商沒有空檔的時間玩遊戲。把週休兩天和下班後每週總共近五十小時的時間填滿，再花心的台商也玩不出同居的名堂。

三通！無疑就是特效藥，身不歷其境者，實在無法體會那種轉搭班級而浪費的時間之多，額外花費的金錢之鉅。週休二日，想到太太想到子女，這種經驗絕對是痛苦的，想到下次回台灣還有兩、三個月，唯有麻痺自己不去想，為了消磨休閒時間與渡過無聊時光，於是找聊天對象與吃飯的伴，婚外情就自然發生，二奶就是結果。

台灣亦要全面實施週休二日，每年的假期多達一一五天，台商可以和家庭互動的時間更多了，唯一的障礙就是三通迄未實現。只要某些台商集中的大陸城市和台灣定點直航，多數台商夫妻子女就可以不用一年才見面三、四次，福建的台商甚至可以周周回家吃老婆燒的菜，那時著名的廈門二奶村恐怕就要開始出現空屋了。簡單的道理不言自明，三通就是二奶的天敵，唯有三通才可以將包大陸二奶的恐怖數字大幅降低。

第四章

讀書深造去大陸

同樣住在玉蘭花苑的黃姓朋友，偶然提起兒子當初被降級就讀三年級，跟著他外調兩年期滿，如今回台灣無法升國中，莫名其妙浪費一年，對兒子實在太不公平。問我有什麼辦法解決。

黃姓朋友當年做了錯誤決定，錯在輕易就接受降級的要求。降級就讀，是大陸的內規，以凸顯簡體字優於繁體字，以表達他們教育的素質優於台灣。不管你在上海任何角落，想就讀當地的中小學、幼稚園，校方見面就要求降級，這是他們的規矩，這種例子太多了，我的兒子當然也被要求過，無足為奇！黃先生錯在該爭不爭。

黃先生犯的第二個錯是不懂行情，不懂因勢趁便。既然交了六千人民幣的贊助費，就要利用六千人民幣能夠發揮的作用。對於一個學期只要數十元學雜費的小學生而言，六千元絕對是大數目，就可以談條件——要交可以，不准降級，降級就換學校，如果堅持到底就不會有降級的情況發生。

解決之道，首先衡諸現實，臉是絕對不能撕破，這時再去吵吵嚷嚷，絕對不能達成目的，唯有再利用錢製造人情，更改學習證明，以便回台升國中。

結果，黃先生還算幸運，我的辦法行得通，最終以五年級生的資格拿到小學畢業的証明，讓兒子回台時如期升國中，總算把可能多讀的一年拉回來。

台商葉先生，兒子有美國護照，在美國唸大學有鬼混的嫌疑，他想讓兒子進入中醫學院學中醫，一方面便於就近看管，一方面培養接手家族的事業，問我如何進行？

既然有美國護照，一切都好辦，美國的大學學業算了，不要唸了！到上海可以不用經過考試，不用像持港澳台護照的學生，要經過高校入學考試，他直接就可以唸想讀的學校和科系。這情形就像台灣的教育部，對持有外國護照的學生特別優待，好像不敢得罪僑胞、僑生似的，使得一些程度不怎麼樣的華人自由進出台灣大學。小黃先生現在就可以進入中醫學院，沒有任何的問題。

筆者在上海的住處玉蘭花苑，名氣響亮得只要告訴計程車司機，可以說沒有不知道的，箇中原因在於玉蘭花苑是台商集中區，有很多的台商攜家帶眷住在那裡，使用計程車的頻率，甚至比五星級飯店還要高。因此筆者認識不少就讀大中小學、幼稚園的小台胞。

筆者在上海的火鍋店，開設在肇家濱路上，標榜台灣風味，不但吸引鄰近上海醫科大學、中醫學院的台灣學生當成宵夜的聚會場所，更吸引在上海和週邊地區如嘉定、昆山、松江、閩行、青浦……的台商、台商朋友和眷屬，眾多台灣人三不五時的蒞臨捧場聚會，因緣際會下，認識更多大中小學的小朋友。

筆者的兒子，自九四年隨我至上海就讀上海中學的國際部，自九年級開始讀至畢業，前後四年參加學校活動的互動中，認識的外籍家長和學生更達數百位，當然其中台灣人居大多數。

有很多識與不識的台商，幾句話聊下來略知我的生活與家庭背景，便很喜歡找我聊大陸教育的體制、現況，就讀、入學的規定、贊助費的行情、學費的標準，和應付台灣政府兵役規定的「聰明辦法」……，內容五花八門，大家說到精采處，高興之餘，不禁要多喝兩杯酒，以茲慶幸自己的孩子可以不受台灣教育部、教育專家、勞什子自學方案、多元化入學方案、聯招、聯考、教改……擺弄，當作試驗品，對自己的高明見地竊喜一番。說到無奈處，更不禁要多喝兩杯酒，氣入出境管理局、教育部、海基會、陸委會、內政部的僵化，又是停止護照、又是不准出國、還不承認大陸學歷，昧於現實不講道理的規定。

教育是第二大難題

為了子女在大陸受教育的問題，台商高興時，忍不住喝酒慶幸，無奈時氣不過也要多喝兩杯來發洩。筆者深深感覺，子女在大陸受教育的問題，關心的人不僅是已經有子女在大陸就讀的人，更大的比率是打算去大陸唸書又不放心，想進行又不知如何進行，赴大陸唸書以後會有什麼後遺症，男孩的兵役怎樣解決……？大陸受教育，有一連串後果需要權衡。

子女或本身在大陸受教育的問題，已經容不得教育專家、教育官員、主管官員不理不睬，抱著鴕鳥心態，甚至視而不見。越來越多的台灣人在大陸受教育，對台灣將來的發展，將會繼投資之後，成為棘手，最難解決的第二大難題，不用幾年，必將遠超過大陸配偶與小老婆對台灣造成的困擾程度。

我身在上海，身處其境，深知問題的嚴重性。我一方面為了解決自己兒子的護照問題，一方面受數位同受其害的台商朋友請託，專程於民國八十七年十月回台灣向入出境管理局、海基會、陸委會、教育部、內政部陳情，懇請協助解決大陸就讀役男的護照問題。

陳情書，報告書，和教育部的回函，全部的「交手」過程如下：

無奈的陳情書

主旨：請協助解決大陸就讀役男的護照問題

說明：

一、陳情人於民國八十一年向經濟部投審會申報赴上海投資，並獲核准在案。

二、基於各項原因長男陳〇〇自八十三年起，隨陳情人就讀上海市之上海中學國際部，今（八十七）年參加港澳台大學入學考試，考入上海〇〇大學計算機應用系，須讀四年〔附件一〕

三、經查陳〇〇中華民國護照出境有效期至民國八十七年十二月三十一日止。〔附件二〕

四、茲就護照問題請教入出境管理局，是否可依法予以順延，陳情人並提議不逃避憲法兵役義務，可提供人保、舖保、不動產保、或現金保之任何保證，只求學習延續和盡國民兵役義務。

五、入出境管理局答覆：（一）大陸學歷不認證，所以接近役齡之役男護照不予延期，如申請，只簽發有效期間兩個月之一次性護照。（二）如在大陸停留滿四年，即視為大陸人民。（三）結論：陳〇〇如回國，自八十八年起即不予出境許可，就學理由不予採納。

六、目前法令陳情人不予置評，懇請協助解決此非屬個案之護照問題，另呈報告「台灣留學生在上海」，暨「後記」撥冗參考。

謹呈

行政院陸委會

海峽交流基金會

教育部

內政部

陳情人　八十七年十月六日

報告一

八十七年十月六日

台灣學生在上海

人數：

高中部分：

上海中學國際部：八十多人

南陽模範中學：二十多人

上海耀中：二十多人

上海二中、四中、嘉定中學等當地中學：就讀人數不詳

大學部分：

上海醫科大學、中醫藥大學：約三百多人

其他大學不詳

小學部分：

跟隨家長，散佈各上海市角落，本人識者近二十位，人數很多。

綜上所述，有理由相信，台灣學生在上海不會少於千人。

以上所謂台灣學生為廣義之台灣人，即含持有他國護照，具雙重國籍之台灣學生。

高中以上的、會講台語的「台灣學生」，我認得的就近兩百人，很弔詭的是：大部分為男生，一問之下，大部分是已經在海外繞一個圈，已經取得他國

護照的「外籍台灣學生」。

對於學歷認證問題，幾乎沒有一位家長和學生放在心上，根本沒有人擔心大陸學歷在台灣得不到承認，他們沒有任何一個人打算將來回台灣取得公務人員任用資格，何況，真實世界的情況是除了台灣不承認，全世界誰不承認中國的學歷資格。

目前處境最尷尬的是：尚未取得他國護照的「純」台灣學生，在高中以前只要有錢就可以進入想唸的大陸學校，但是想就讀大陸大學者，只有參加「港澳台高校入學考試」，錄取的標準和試題的難度越來越高，困擾也越來越多。

大陸大學除了入學門檻的問題外，談論最多的是役男的護照問題。因護照過期，不敢再進入台灣，而在上海或國外「流浪」的台灣學生，我認得的就有將近二十人，以此推論，全大陸地區絕對有為數相當多的「流亡學生」有家歸不得。這一個問題已經不屬於個案，絕對需要予以重視。

大陸求學的環境，教育的品質，大家的看法見仁見智，我不能在此斷定孰優孰劣。實際的情況是一大堆男孩子合法的出境，只因求學，他們多半願意盡兵役義務，更願意把根留在台灣，但「祖國」拒人千里之外，甚至把他們當成另一個中國的人，聽起來匪夷所思，卻是現行法令下的實情。

八十七年十月六日

後記

台灣的上市公司中，在上海地區不管直接、間接有實質投資的，不會少於五十家。有人估算，每天留在上海的台灣人最少三萬，說五萬、甚至十萬台灣人常駐上海也不會覺得離譜。大家在大陸碰上的難題千奇百怪，但共同的前提是大家並非喜歡離鄉背井，而是大環境使然，不得不去。

同樣的，攜兒帶女讓孩子在大陸唸書也是不得已的辦法，我們絕大多數是一些從事小投資和只想賺生活費的人，對政府政策問題或執行法規上的技術性問題，根本沒有資格去要求和請求，成敗自負，套句「他們」的話：沒人強迫你來投資。

政府政策的堅持，有其必要性，而一些技術性的問題，其實操之於執行者手中，在可控制範圍內、在不違反原則下，是否可以做逆向思考，讓台灣人幫台灣，自動自發謀取最大利益。

例如：一國不可為，三通可選擇；WTO可以談，兩岸一起談；掃黑、掃走私兩岸一起來，看人蛇私梟往哪逃；投資、通匯協定先搞清楚，不強迫台灣人拿外國護照去開曼、維京躲，讓台胞放心賺錢，按理交稅，雙贏指日可待。（編按：民國八十七年的兩岸氣氛，這些議題還能提出來談談，但八十八年兩〇論提出之後，情勢演變到後來除了一個中國，什麼都別談了，各自表述吧！）

總之，政府和民間的目標都是為台灣取得最大利益，「信任自己」是目前不太困難而可行的，亦即政府不應該懷疑台灣人對國家的忠誠。「戒急用忍」台商的確謹記心中，在此夾縫中往來兩岸經商投資，戒急用忍確實已經發揮效用。我個人就是以戒急用忍的態度處理大陸投資，因而能上海的戰場中存活這麼多年，幸未提早陣亡打道回台灣。

此次蒙陸委會接見，共謀解決個人問題，不勝感激，僅抒淺見，祈勿見怪是幸。

教育部　書函

機關地址：台北市中山南路五號
傳真：〇二－二三九七六九三九

受文者：陳〇〇君

速別：最速件

密等級：

解密條件：

發文日期：中華民國捌拾柒年拾月貳拾參日

發文字號：台（八七）陸字第八七一一九四六零號

附件：

一、台端本（八十七）年十月十二日陳情書敬悉。

二、有關　貴子弟擬於上海就學，其學歷認可、兵役及護照等問題，礙於現行相關規定，無法受理報備事宜，至相關建議，已錄案研參。

三、復請　查照。

正本：陳〇〇君

副本：本部大陸小組

結果就如教育部書函中所言，「礙於現行相關規定」，無法受理。教育部的承辦人員儘管表示同情，也覺得現行規定沒道理（注意，這位承辦人員寫的是「礙於」現行相關規定，而不是「依據」現行相關規定），總之我的孩子回了台灣不但不能再出境（護照過期的役男），還有可能被當成大陸人（居住上海超過四年）。這種答覆我並不意外。

在上海我認識幾位家長，拜託過各自認識的法委員，已經運作請託了好幾年，都沒有結果，所以不意外。有位黃先生，一氣之下乾脆把小孩送到美國，當美國人去，再也不受政府的鳥氣。

另一位鄭先生更絕，眼看已經買了不少禮物送給○○○立委，依舊無法解決，乾脆算了，給兒子買了一張某東南亞小國的護照，前後花費不到二十萬台幣。他兒子現在不是中國人，經過漢語程度鑑定之後，就讀大陸○○名牌大學。一了百了，省得煩心之餘，鄭先生大罵台灣政府不務實，還活在莫名其妙，坐井觀天的規定裡頭。

莫名其妙的規定

「莫名其妙的規定」，鄭先生的批評一針見血，我在和陸委會官員面對面的會談中，亦深刻感受其中的莫名其妙。陸委會法政處的官員，準備有夠充分，居然在我前展示一大堆的規定文件，自民國五十幾年「匪區」的條例開始唸起，唸唸、一直唸，唸到台灣地區與大陸地區人民關係條例……。老實說，我聽不下去，也不想聽，我要的和所有台商家長的願望一樣，很單純——只要護照，不需要認證。

為什麼我不需要認證大陸學歷？說句難聽點的話，大陸的學歷，除了台灣不承認以外，有哪個「國家」不予承認？政府和官員也未免自抬身價，家長們真正要的，不是你們自以為了不起的學歷認證，不吃公家飯，不當公務人員，台灣當局對學歷認證的功用，在台商家長的眼中，不值兒子女朋友的認證。沒有人為了台灣不承認大陸畢業證書而擔心，只要護照進出方便而已。

政府要人民愛台灣、根留台灣，現行法令卻把根留台灣的人逼成大陸人，莫名其妙的規定真的讓人無奈，搞不過這些官員，也氣不過這些規定。

陸委會礙於筆者陳情書上自願提供擔保的誠意，把我的難題丟給教育部，要我到教育部找大陸小組，商討是否有變通可行的辦法。

我到教育部找大陸小組，明知不會有結果，還是願意和大陸小組多作溝通，把台灣小孩在大陸受教育的現況，藉機會稟報，讓主管官員有第一手資料可判斷。我甚至願意安排官員們到上海實地去了解，以方便後來的台胞，不會像我一樣，有如無頭蒼蠅般處處碰壁。

在大陸小組專門委員的熱忱接待下，他們以十足的誠意和我深切交談，結果，我終於明白了，明白了吳京前部長為什麼會下臺，為什麼承認大陸學歷的政策會被腰斬，整個行政作業無疾而終的箇中始末。

原來，不是不知道大陸教育所有的現況和特點，不是不知道有很多台灣的學生在大陸就讀，不是不知道家長們為此奔走請託，不是不知道這個問題不解決，拖延下去也不是好辦法……。

趕部長下台

吳京部長違反了官場倫理和做官的準則。

喜歡打破傳統，滅惡補推行學區制，改變入學方式，推行多元化入學方案，喜歡作秀，吳京部長以「帶動唱」的作風，撕破教育工作者高不可攀的道貌岸然面紗，早已經讓不少人心裡不爽。

除了不會做官外，吳京部長最大的錯誤是不懂得做人。

推行學區制，掃滅惡補，多元化入學等，到底還在自家的茶壺裡掀風暴，波濤不會淹死外人。可是，承認大陸的學歷，吳部長太天真了，雖然部裡有接不完的詢問電話作為奧援，就是因為反應太好、太強烈，終於踢到鐵板，被人轟下臺。

吳部長犯了「斷人財路與活路」的大忌，不懂得做人。台灣的教育體系，已經形成「銅牆鐵壁」，這四個字不只形容其僵化頑固保守，也意味著牢不可破的利益掛鉤的排外圈子。

鐵板一：由學閥、學棍、不入流的校長、主任組成。

鐵板二：由尸位素餐型、毫不長進型的教授和教育專家、教育工作者組成。

承認大陸學歷後，絕對有非常多的家長會立即行動，要子女不要在台灣混，到大陸讀有用的科系。開放赴大陸就讀大學後，立即明顯的連鎖效應，會讓非熱門科系如地理、歷史、國文、考古……招不到學生，名不見經傳、校譽不佳、偏遠的院校絕對招不滿學生，甚至招不到學生。學店、爛校、冷門系的「客源」大量流失，是必然的擋不住、挽不回的現象。

於是，學閥學棍在教育「事業」上的投資將會泡湯，嚴重的會倒閉。不入流的校長、主任會喪失動人的頭銜，從不進修、誤人子弟的教授會失業，劣質的教育工作者當然第一個遭殃，失去飯碗。

至此，我終於明白，政府已被既得利益的惡勢力綁架，不承認大陸學歷是有苦衷，情有可原的；我更明白，當家長的人不如提早覺悟，在所謂的教改成功之前，孩子都是別人的試驗品，要靠自己給子女找教育的出路，才是務實的作法。

上海的教育環境

筆者九十年代初，尚未搬入自購的玉蘭花苑之前，為了合資案，每次到上海就得輪流住宿各家五星級飯店，對一個現象，忍不住打聽：這些星級飯店與涉外餐廳在櫃檯任接待的小姐，英文好，不稀奇，竟然連門房、行李房、服務生的英文表達能力，也能應付裕如。

當時心想，找大學畢業生擔任這種職位，共產黨未免糟蹋人才，對不起這些人。

聊天探詢之下，才知道自己錯了！櫃檯接待小姐中固然是大學畢業，但不是我心中所想的、畢業於著名大學，大部分的櫃檯人員只有專科和高中畢業，門房、行李房、服務生有的上夜校，有的只是高中畢業而已。

對這種現象我很好奇，問清楚才明白，在上海想學英文的地方和管道太多了。在學校裡，有英語的課程，自小學開始就可以選修，初中、高中、大學專科、大學本科一路下來，學的不只是應付筆試的英文。學校以外，在少年宮，在學校附設的補習班，在區政府辦的進修班、文秘班、語文班，在國有公司附設的職訓班……都有地方學到英文，一星期上課三天六小時，三個月一期，學費含教材約五十元左右。

學了英文以後，可以參加等級考試，拿到等級證書者，就可以憑此求職就業，或繼續進修，拿到更高等級的證書，找到更高收入的職位。對於英文能力，社會要求的標準，不是學校的學歷，是看等級證書為判斷的依據。這就是五星級飯店櫃檯、商務中心的大女孩英文嚇嚇叫的原因，不一定是著名大學，僅是專科、高中程度的英語照樣流利，門房、行李房、餐廳服務生同樣英文不錯。

物超所值的暑期遊學

衝著學費便宜、學習英文的管道又多的膚淺認識，我大著膽子，在九二年暑假帶著兒女到上海，想在遊玩中，藉機會學點英文和鋼琴、中提琴（我的女兒在音樂班主修鋼琴，副修中提琴）。

透過上海朋友介紹，為兒女找了兩個英文家教，為女兒找了鋼琴和中提琴老師。英文家教都是外貿學院的在學生，兩位都在高中時，即通過托福考試，已經可以申請美國還不錯的大學。

鋼琴老師原來是著作等身的葛蔚英教授，中提琴沈西蒂老師，觀賞上海交響樂團演奏會後，才知道沈老師竟是第一中提琴，兩位都是上海音樂院名聞海內外的專業教授。

老實說，當年把我嚇一跳，原來只是和教授朋友偶然提起，請對方代為找家教、老師，讓小孩子不要浪費時間，打發點時間的目的而已，壓根沒想到找來兩位教授和通過托福的高材生。心想，費用一定不會低。

我要求兩位小家教，每天早上八時至中午教英文，下午以後的時間，由他們陪伴照顧，上琴房、逛街、看電影、遊覽……，家教兼保姆，希望待遇竟然每月僅三百元人民幣。

兩位教授的話，更是讓我至今印象深刻。經過再三的請教，兩位老師才相當靦腆的提出要求待遇：授琴鐘點費三十元。我怕會錯意，再問是人民幣還是美金？教授更不好意思解釋說，國內學生課外找老師沒有收錢，你們付三十元人民幣好不好？

我原來只計畫停留一個月，就帶孩子回來上暑期班，眼看費用便宜，效果還不錯的樣子，乾脆延長一個月至開學時才回台灣。

回台灣以後，才發覺自己撿到大便宜，兒女英文進步的程度顯著，考試成績由全校中段跳到前列，上海兩個月抵過何〇〇英文教室四年的成果。鋼琴、中提琴的表現也讓授課老師大吃一驚，知道在上海經過大師級教授指導後，台灣老師一直誇說：果然不同凡響。

從此我有如食髓知味的貪吃食客，在九三年、九四年都如法炮製，連續三年暑假都把兒女帶來上海，不再花大錢上台灣的暑期班。比起送美國、澳洲、加拿大、紐西蘭遊學，便宜太多了。物超所值。

多軌制多元化的教育制度

為了兒女教育問題，我在上海只要碰到和教育有關的人士，就會找機會聊上兩句。從幼教老師直至大學校長，數年我認識的人、請教過的人多不勝數，對上海的教育環境和大陸教育的內涵，雖談不上專家，亦有相當深刻的感受，略述如下：

大陸的學制：小學六年、初中三年、高中三年、大學本科四至七年、大學專科二至三年，另有技職學校、職業學校、研究所、博士後研究，基本上和台灣沒有兩樣。

大陸的學費：公立的小學、中學、大學或是公費生，註冊費可以說便宜的不得了，從數十元至百餘元而已，至多數百元人民幣。但近年實施教改，出現私立學校和招收自費生的雙軌制，註冊費有數千、至數萬的。

考試制度：亦如台灣，初中升高中、高中升大學都有聯招制度作為篩選的標準，明星學校大陸稱之為「重點」，如高中分省重點、市重點、區重點，大學有全國重點、省重點、市重點。重點學校當然是家長學生追求的目標，競爭慘烈的程度台灣瞠乎其後，台灣近年來百分之六十的大學聯考錄取率，不知道能招收到哪種素質的學生。

住校：在上海，初中以上的學校，有不少提供住宿，甚至有些重點學校還規定住宿，外宿反而是例外，必須經過核准，如上海中學。住校學生晚上有規定的自習課，校外惡補的情況是有，卻沒有大規模的，老師更不敢明目張膽開班惡補。

重考：聯招考不好或沒考上的學生，除了可以參加第二次、第三配分配外，也能選擇重考，或是憑大考成績單選擇職業學校、專科學校。基本上，在上海，只要想唸書，就有學校可以唸。

專才教育：體制相當細密，像是體育、音樂、美術、舞蹈、戲劇的才藝，語文、數理化生物等的專才，只要這位學生被認同，經過推薦，就可以進入專門學校，接受專業的訓練。如果在全國分齡比賽、甚至國際比賽中得到名次，得到進一步的認同，這些學生還可以享有特別的培育制度，可加分、可越級、免參加聯考、免費的教練、指導老師，甚至還有營養補助費、獎學金、津貼可領……，讓有特殊才藝的孩子跳脫一般學制的箝制。這也是大陸近年不斷有大量體育、音樂、數學、電腦等人才冒出來的原因。台灣人自誇資訊人才輩出，其實在美國上市成功的華人網路公司，大陸血統的比台灣還多。

大陸培育人才的制度口大尾小。所謂「口大尾小」，即把入口開大，從幼齡階段開始，教育部門根據各科特別的特性，定好制度，只要有興趣或家長同意，即可免費參加各種訓練班，有免費的場地、教練、指導老師，讓學生適應訓練環境、培養興趣外，教練老師亦根據成績、性向分析，認為值得培養的，即推薦學生進入幼校、專門學校，從小學、中學、大學，進行有計畫性的培養。如果這位學生，最終不能成為頂尖的人才，如世界冠軍、大賽冠軍的名額畢竟有限，亦有保障的制度，成為該專科的教練、指導老師。

專業證書比學歷有用

從台灣的角度看大陸的教育制度，確實有「亂」的感覺，有辦法、有背景的家長，可以透過關係、管道，把子女送進想就讀的學校，是有不公平的地方，讓不肖的家長、學生得逞，可以畢業於著名的大學，頂尖的專業院校。

可是，共產黨政府不是笨蛋，有良知的教育政策制定者不是笨蛋，社會大眾也不是笨蛋，都知道專業院校、大學，甚至全國知名的重點大學，都會有不學無術、鬼混的份子畢業。於是大家想到反制的辦法：實施證照制度，實施專業等級制度。

因此，國有的單位、集團公司、集團企業，正常的錄取、升遷標準，是以專業證書的等級為主，學歷為輔。每個職位有相對應的等級證書，例如要擔任董事長、總經理、廠長、部長等高級領導，就要有高級、特級經濟師、管理師、會計師的證照，而不是經濟師、管理師、會計師……較低階等的證書。

前述高中專科畢業生，為什麼可以謀得五星級飯店高收入的職位？就是她們英文等級證書高，經得起筆試、面談的考驗，而不是學歷。改革開放的前幾年，工作大多還是靠分配，背景與關係不好的人才可能被埋沒，現在人力市場的機制逐步健全，拔尖程度的大學生之多，應徵時自信滿滿，真會把台灣小企業的老闆嚇壞。

在大陸證照滿天飛，正式的職位，幾乎都要有專長對應的證照，才能擔任該職位。連廚師、麵包師、點心師、開堆高機、操作車床、剪床之類的技職類老師、教授都有不同等級的證書，印在名片上，既表示身分，亦宣示「質量」，可說是大陸的一絕。明白以上道理，就不會覺得奇怪。

台灣人赴大陸唸書的人數一定會急速增加，主要原因是：

- 親朋好友大力推薦。
- 不滿台灣的教育環境、師資、內容江河日下。
- 學習專業，如中醫、語文、音樂、舞蹈、美術……。
- 依親，隨家長投資大陸或駐派，為了照顧的方便，此部份中小學生特多。
- 放眼未來，認同大陸的發展不可限量，為了取得律師、會計師專業證書，是必要在大陸長期接受養成教育。

・利用大陸教育制度對外國人的優惠政策，拿外國護照，就讀心目中的理想大學或科系，例如進北大、清大或唸醫學院。

・台灣的好學校、好科系考不上，與其浪費青春，乾脆在大陸找學校找科系，這種台灣學生以女生較多。

・怕子女變壞，或已經變壞，希望在大陸電動玩具、違禁藥品、玩樂工具較少的相對單純環境下，孩子能學好。很多台灣人移民美國、澳洲、加拿大、紐西蘭，自己仍在台灣、大陸就業打拼，把孩子留在外國當小留學生、小移民，結果兒女忘了國語還變壞，於是轉進大陸就讀，帶在身邊管教。

讀書的管道與學費

中小學生可依交通的方便性，或學校的名氣來選擇，在上海市內的嘉定、閔行、松江……郊區，都有相當多的台灣學生。這部份學校，一般要求收取贊助費，自人民幣三千元起價至萬元不等，入學時收一次，以後即不再收取，僅有部份學校，要求每學期多交點註冊費。

中小學的國際學校：

上海中學國際部　招收四年級至十二年級生。學費：每學期自美美金四千多至五千、視年級而定。

上海耀華中學（耀中）與美國學校　招收一年級至十二年級生。學費：一年美金一萬五千元。

另有日僑學校，專收日籍學生。

大學：

如果持有港澳台以外護照，只需考「漢語等級」檢定，五級以上就可自由選擇學校或科系，部分重點（名牌）大學的理工學系、醫學系，會加考英數理化生物，來作初步篩選，程度不要太差，基本上都能如願就讀。

如果只持有港澳台身分證明者，就必須參加每年五月份分文科、理科、醫學院加考生物報名，七月初舉辦的「港澳台高校聯合招生」考試，依成績，依教育部推薦全大陸百餘所大學的參考手冊，可選擇三校九系，等候錄取。唯需特別注意，此錄取辦法年年變更，稍不留意，分數縱使達到最低錄取標準，因錯填志願，會有不獲分發的結果。高校聯招報名後可選擇六個地方的任一地考試，如香港、北京、上海、廣州。經高校聯招而入學的學生，方可取得在大陸教育部備案的正式學籍，並根據錄取通知單、市教委的證明，申請一年期的台胞証。

學費：港澳台學生一年學費一千五百美元。

如果想考大陸的專業學院如音樂學院、戲劇學院，還是要參加高校聯招，但是先考術科。例如上海音樂學院，每年三月份公佈試彈試唱的專業題目，五月份術科考試和口試，錄取後再參加高校聯考，只要分數達到最低分數下限以上，然後在第一志願填寫上校名和科系，即可被錄取為正式學籍生。

對專業有興趣，又不想參加聯招考試，只想學習鋼琴、作曲、聲樂……的人，可以選擇成為「進修學籍生」。例如上海音樂學院，每年都接受這種學生，可選送錄音、錄影作品供參考，錄取後成為進修生，學費每年約二千美元，普通以二年為階段修業年限，期滿可頒發結業證書，而非畢業證書。

其它就讀管道

參加高校聯招但落榜，如果分數達到最低錄取標準，可選擇不在大陸教育部公佈名冊上的院校就讀，由這些院校直接向教育局報備，可視為正式學籍生（但此法必須視地區或學校的作為而定）。

你也可以先試讀，先以進修生身分進入一般的大學，第二年再參加高校聯招，達到錄取分數後，第一志願填該校該系即可。但是，著名大學或熱門科系不一定吃這一套，需花點功夫和「成本」方能有效，有人想考上海音樂學院，採用此法，一年後取得正式學籍。

除了大學，專科學校或專門技術學校也是不錯的選擇，因為大陸高校聯招試題一年難於一年，越來越難考，錄取辦法又常變更，於是許多台商子女就讀如化工、治金、醫療器械、水產等專科學校或職業學校。

有的外國大學在大陸設分部或分院，一年分三學期，每學期約需四千美元，有澳洲的、加拿大的、美國的大學，亦可選擇。

如果嫌高校聯招麻煩又難考，進不了心目中的理想大學，乾脆，可以考慮買個東南亞、中南美護照，以外國人身分進名校或名系。然而，走這種後門的人需記住，在大陸就讀將面臨「高中學歷不公證，大學文憑不認證」的後果，也就是你畢業證書上的外國姓名是否即為你本人，得不到兩岸相關單位證明，考慮清楚再下決定。

上海就學的建議

大陸的著名大學院校、熱門科系，沒有想像中好混，對學生的要求，絕對比台灣嚴格好幾倍，程度不好或只想混的學生，很難待下去。不管你走了什麼樣的後門、用什麼取巧辦法進入名校，畢業、考試還是要憑真本事。

其次，台胞証的有效期，需要特別注意。辦理學生簽證時，持學校證明與市教委證明，一年一簽沒有問題，台胞証有效期屆滿，就要離境辦理續簽。男生的護照如果過期，將無法入境第三國，頓時成為沒有身分證明的人，很麻煩。

理論上，大陸生活水準各項指標低於台灣，外在的引誘因子比較少。可是在上海的台商子女，或因家庭富裕、或因交往同屬外商的同學，相互攀比家境事小，港澳台、外籍學生會發展出不同於大陸學生的生活方式，沒有想像中的單純，如果不留心加以管制，上海花錢、玩樂的地方多的是，一樣容易導致行為脫序出軌，還是一樣會不學好，這點需特別留意。

小學生、國中生，回台灣銜接年級，在大陸容易取得經過公証的學歷證書，經海基會驗證後，再向當地縣市政府報備，即可取得同等學歷證書，繼續就讀沒有問題。最麻煩的是，目前無法解決高中學歷及高中的畢業證書，大陸不予公證，也就是海基會無法據以驗證，因而無法取得同等學歷證書，無法繼續就讀，也無法報考台灣的大學聯招。

男生還有兵役的問題，需要考慮的層面，影響比女生複雜。考慮的重點不是認證問題，不是兵役問題，而是如何規避「台灣地區與大陸地區人民關係條例」第二條和「施行細則」第五條。因役男護照逾期，又在大陸居住逾四年，即會被視為大陸人，回台時只發給臨時入境證，又要限期離境，會把人搞得進退不得。解決這種困擾有兩種方式，一是護照過期前，到第三地（港澳已回歸要除外）每次停留三十天以上，算準畢業前護照上記錄的大陸連續居留期間未逾四年。二是乾脆先放棄台灣護照，一直待在大陸完成學業，靜待情勢改變。因此，男生就讀大陸學校衍生的問題比女生麻煩，構思就讀計畫前，這點認識不能輕忽。

第五章

台式海派

真正的海派作風是什麼？

黃先生手持一疊發黃的照片本，囑咐我小心欣賞。全部是其先父在民國二十年左右得意上海灘，有照為證的傳奇。英國毛呢大衣紳士帽，在金門飯店、和平飯店、天蟾戲院、跑馬場、咖啡廳、舞廳、浴池，和名伶、名人的合照與獨照。黃伯母描述其先父當年包舞場、歌場的手筆，交際的開銷實在讓家族傷透腦筋，玩掉的家產不知有多少。

吳先生，蘇州有名的世家，從小到大，到唸大學時代，都有專人伺候。玩盡上海灘，玩到後頭，找不出新花樣新點子時，送女朋友鑲鑽石的繡花鞋跳交際舞，成了他獨門的花招秘技，勝過包場的老套，得意過不短的時間。

祁先生，名門世家，黨國元老之後。解放前，祁老那雙尊貴的手，從沒有碰過錢，想到的、說得出口的，全部有專人打理，他不知米價，不知物價，專長是跳舞、聽戲聽歌與交際玩樂。

秦先生，父親是黃金榮先生的至交好友，年輕時天天玩樂，根本搞不懂自己的家業有多大，只記得隨時有跟班保護安全。偶爾陪老人家交際時，記得談的是炒股、炒黃金、炒期貨，輸贏以「街」論，以「里」計，玩大的，老是拿台商小打小鬧小場面來刺激我。

黃先生初到上海，要我作陪走走，巡一趟其先父當年經過的道路，以懷舊體會十里洋場的真相。壯麗的上海外灘就已經讓他目眩神馳，走到尚存的金門飯店、和平飯店，遙想半個世紀前上海就有這種設施、氣氛、音樂、法國菜，黃先生對其先父的觀點頓時改觀，體會到換成是他，也拒絕不了這種物慾與情慾紛陳眼前的巨大誘惑。

吳先生、秦先生他們在文革紅衛兵的年代，備受煎熬，家破人亡的經驗永誌不忘，改革開放以來，他們隨時有機會移居國外，打點當年家族逃出大陸後在海外創下的事業，很奇怪，老上海最終還是習慣上海的生活。他們隱居於高級公寓和別墅中，表面上和一般老派上海殷商沒有兩樣，打麻將、偶爾出面交際吃飯。

在交際飯局碰到台商，所謂「大老闆」級的台商，他們搖頭了。看到台商在金字系列招牌的KTV擺譜要派頭時，他們也搖頭了，告訴我，這些台商不懂交際、不懂娛樂，以為這就是派頭，這就是面子。這種手段騙騙小女生、小美眉也許有效，對投資對事業不但無益，後患無窮矣！海派作風不是這麼使，錢不是這麼花法，這些行徑反而讓人瞧不起，暴露自己沒見過真正的世面。

這些各有來頭的老上海，要我回想，檯面上真正的大人物，有幾位在公開場合吃過飯？和台商交際？絕對沒有！和台商打高爾夫球？絕對沒有！和台商分享一瓶數萬港幣的紅酒？絕對沒有！

真正有權力的大人物，不是不要吃飯，不是沒有交際的行為，不是不懂得享受美酒玉食，他們只在私人的招待所、小廚房杯觥交錯，講究的是真正的氣氛。有深度的氣氛，如何花心思去營造，一般的台商外商不懂，要回歸上海，以前住過這灘頭打過滾，所謂「上海幫」的台商、港商才懂，才摸得清海派的奧妙，才知道百年來海派作風傳承的精華——不在檯面上，是在檯面下。

老上海的一番話，讓我想到台灣的力霸飯店、遠東飯店，越想越有道理。玩樂，不是不想、不需要，在上海（或在其他地方），大人物們有固定的圈圈，有不同的玩樂方法，不是高爾夫的招待，不是在金色○○的地方擺場面，那些錢都是白花的，都沒有用在刀口上。在上海，想以招待玩樂達到目的，沒有那麼簡單，錢不是唯一的法寶！

肉包子打狗

從事裝潢設計的台灣人李先生，到上海拓展本業，除了承接部分已合作過台商的業務外，也想打進國營單位的勢力範圍。他在延安路、北京路、長壽路等地台商開設的ＫＴＶ店裡，洋酒開了幾百瓶，信用卡一刷就是四萬到六萬人民幣，想用台灣的模式，包爽包樂開疆闢土，哪知道這裡的人吃乾抹淨之後，可以面不改色地秉公辦理。不到兩年，我在上海再也沒有看過他。

台商林先生宴請「重要人士」於淮海路○○小築餐廳，找我當陪客，只見大包廂牆上掛者仿古名畫，餐具有金的、銀的，消費標準每桌起價一萬元，當晚喝了兩萬多元的紅酒。事後請教林先生，這麼大手筆砸錢下去打地基，效果如何？林先生苦笑不答，原來當晚不只那一攤，還到金色○○聯絡感情，大夥兒同樂，弄到半夜，結果大夥兒也盡歡而散，散得不知去向。

魏老闆代表投資股東，帶了數億資金到上海創設大型娛樂公司，從批地至完工啟用，最大困擾是錢花出去，也娛也樂了，「效果」就是不好。魏老闆最大的痛苦是面對一大疊的吃飯、交際支出，完全無法向股東們解釋清楚，特別是「白條」（無發票、無收據的付款說明）一大堆，更讓股東們非常不爽。開會時，每次都被砲轟，被叮得滿頭包，有苦說不出。果不其然，開幕以來的營收一直不如預期，被董事會宣佈不准退股，開除查辦等候宣判。

含金湯匙出身的王姓台商，是KTV、PUB最受歡迎的大戶，只要爽起來，在PUB就敲鐘請客，在KTV就小費亂朝美眉身體塞，面色不改，結果什麼生意都沒談成，幾個月之後就在上海娛樂圈中絕跡，沒有人知道他的去向，這傢伙花了這麼多錢，居然連一個朋友都沒交到。

馬姓台商的想法更好玩、更天真，下班後不甘寂寞，喜歡招兵買馬找朋友吃飯、打保齡球、唱歌、跳迪斯可，借此消遣打發時間兼交朋友，天天喝天天醉。花錢事小，體力不堪負荷情況下，乾脆把KTV看上的美眉包起來，在租處添購娛樂設備，設立專屬的包房，自娛也娛眾親好友。馬先生夜夜笙歌的名氣比事業還出名，風流韻事的風聲走漏，讓台灣的太太給知道了，元配大吵大鬧，不放心之餘，小孩托娘家，也赴上海和老公同樂，盯死老公。

錯亂的娛樂環境

九〇年代初，到上海旅遊考察的台商，眼看入夜吃完飯以後，除了待在飯店的鋼琴酒吧、夜總會外，幾乎沒有地方可以打發時間，於是大膽投入卡拉OK、KTV、保齡球館、迪斯可等新型態的娛樂業。沒有想到一炮打響，JJ迪斯可就是這時期的代表作，名震上海之外，更撼動了台商的心。效尤者眼看天天爆滿的人潮，以為上海的錢太好賺了，上海人太好哄太好騙了，於是紛紛下注，徹底改變了上海的娛樂環境。

台商陸續投資開拓ＫＴＶ、迪斯可、夜總會、保齡球、複合式餐廳、美式酒吧酒館、咖啡廳以外，新潮的網吧、啤酒吧、燒烤吧、主題餐廳等等，只要有人提起，就有人投資開設，以為上海人都會捧場，都會勇於掏錢消費。一眼望去，娛樂場遍地開花，稍有點名氣的，近八成是台商投資。

可是，台商忘了一個重點，忘了身在上海，不是台北，不是台灣的環境。沒估算到還有國有企業與其他外商也會加入競爭，並且用更優勢的先天條件，例如房租、優惠的稅負、低勞動成本、人事管理費、更寬廣的人脈關係，來搶食娛樂業這塊大餅。

台灣人從上海玩一趟回來，幾乎都會大罵上海的吃喝玩樂不便宜，ＫＴＶ貴死人、保齡球收費坑人，美眉要的小費坐檯費過份，大爺二百元、三百元人民幣塞過去，連小手都摸不到，錢收得沒道理。還有，錢包會掉、喝到假酒、服務又不好……，這些店可都是台商港商開的啊！

旅遊的台胞，錯在沒有認清上海娛樂環境發展的背景，人生地不熟，而帶路台商也搞不清楚，以致花了大錢，「心中期許」的目標卻沒有達成，因而覺得上海的娛樂不如想像的多采多姿，值得稱讚，在台灣聽到小道消息相傳的上海艷遇，都是騙人的。

上海的娛樂場所和台灣一樣也分等級，以投資定位、經營的績效、客源的掌握度區分，有頂級收費的，也有便宜得令人受寵若驚的，就看你懂不懂得門路，找不找得到門路。例如：

KTV　在最高級的金〇〇，大堂消費每人三百，頂級包廂最低消費八千，三五好友至此走一圈，少則兩三千，多至數萬人民幣也不稀奇，這種收費確實比台灣高得多，只「開」個兩、三百當然摸不到小手。可是，如果你到國營公司附設的KTV，或是台商投資、大眾化的好樂迪、錢櫃，每人平均消費二十餘至五六十元即可，比台灣便宜划算太多了。

如果不過份挑剔，你也可以光顧國營的卡拉OK，茶資十元，一首歌三元，比台灣的咖啡廳還便宜，如丁〇花園，裝潢不差，有園林氣氛，真正俗又大碗。

有美眉坐檯的KTV，亦是如此分法。台商投資「金」字頭、「統」字頭的

KTV，標榜美眉的素質高，服務水準高，所以收費也高，不含小費數千人民幣是平常的消費。如果到上海人開設的同類場所，有的只收包廂費，有的酒水免費、水果盤免費，不含小費一群人只要二百、三百、五百就能玩個痛快的地方多的是。只是這種地方，可能有其他的花招，一定要清楚——沒有熟人帶路，少碰為妙，以策安全。

保齡球　台商花費鉅資搞最新設備，在電視、報紙媒體打廣告，廣發DM，這種球館的業者為了回收成本，收費都不便宜，每天晚上七至十一時或例假日的熱門時段當然更貴，想以便宜價格享受優質設備，又不願意碰上人潮的精明客人一定要避開這種時段。其實你可以到國有單位投資的娛樂、健身中心，雖然豪華氣派比不上，倒是經濟實惠，例如七寶鎮公有的七〇海鮮城附設有保齡球道，任何時段五元一局，夠便宜吧！

三溫暖　純洗澡、擦背、修指甲、不做異性按摩，台商投資的地點如海霸王的溫莎堡、統〇都不錯，收費不滿百元也合理。如要做異性按摩，「半套」的就要近千元，「全套」的千餘元，老實說，不但要冒被公安抄的風險，也不划算。

即使如建國賓館、銀河賓館，號稱為四星級的國營賓館，也被公安沖過幾次，萬一中獎了更划不來。如不挑設備，真正喜好此道，去國營傳統的浴池，泡澡擦背，看上海老師傅拋毛巾、擦背的一流功夫，收費數十元而已。

迪斯可、夜總會、歌廳、舞廳　自從ＪＪ迪斯可被勒令停業以來，沒有大型的舞場帶動風潮，加上主題餐廳、啤酒吧、ＰＵＢ亦附設舞池供客人使用，使得上列地方的氣氛不對，已經引不起人們興趣，較少人談起，已經不是娛樂的主流。

主題餐廳與ＰＵＢ　主題餐廳指的是啤酒吧、燒烤吧、HARD ROCK、澳洲岩烤……之類的餐廳，集中地在衡山路與南京路，最集中的思南路已經有酒吧街的稱號，有不少名氣的店，收費還算合理。

自從亞洲金融風暴，朱鎔基總理上台實施各項改革，減縮企業費用，查核不正開支，實施肅貪政策以來，上海的娛樂、餐飲、休閒產業大受影響，投資上列產業的業者，不得不改頭換面，增強競爭力。大型餐飲、娛樂連鎖服務業以複合式的方式因而興起，餐飲包房附ＫＴＶ設備，大堂附設歌廳、跳舞池，一票到底成為流行，設備越來越考究，服務越來越新型，多注意報紙、電視廣告，就可以找到有吃又能娛樂，物超所值的地方，可以省下第二攤、第三攤的費用，不妨多利用。

趨吉避兇的娛樂法寶

上海治安堪稱全國第一，為了維護得來不易的名聲，對於色情、煙賭毒的防範相當戮力。經濟龍頭上海不容本地成為不正當風氣的始作俑者，所以每年實施掃黃、掃黑，在元旦、春節、五一（五月一日勞動節）、六四（六月四日）、暑假、十一（十月一日國慶日），前後時間絕對有大規模的嚴打掃蕩行動。也就是說，上海一年幾乎有一半以上的時間在掃黃、掃黑、在嚴打三陪女與色情行業。嚴打期間，頂風犯案，罪加一等，歪腦筋最好少動。

唱KTV、到三溫暖、到PUB喝酒、到迪斯可或夜總會跳舞，最好不要存有非分之想，上海是全國嚴打次數最多、最徹底、風險係數最高，也因此是收費最貴的地區，坐檯費小費的行情九〇年不過五十元，不到十年已漲至三百元。在南方、在偏遠城市，三百塊人民幣已足以完成「任務」，在上海，連小手都沒有摸到，是常有的事情。至於出場費，美金一百或千元人民幣是最起碼的起跳價，有的獅子大開口索價三百、五百美金，更有王姓台商醉茫茫的時候，被宰了三千美金，如同「乾洗」，這能怪誰？

上海治安號稱第一，掃黃更比深圳珠海廈門徹底，不肖的業者還是充斥市內各角落作殺頭的生意。我所經營的火鍋店對面有家KTV，日本人在那兒喝了一杯酒，附上一盤水果，竟然索價二萬五千人民幣，日本人一氣之下寧可被公安罰錢拘留也要報案，這才把事情爆出來。這家店早有台商出入，不知有否被店家宰過而不敢聲張，我不知道，但初到上海的台灣尋芳客被痛宰兩萬五（十萬台幣）還真的頗合乎此地宰客的「行情」（是吧？〇〇書店的譚經理）。

台商被宰、被迫刷卡的傳聞，時有所聞，我實在不懂這些台商，為什麼如此膽大，在人生地不熟的地方想偷「雞」，被宰豈不活該。

萬一碰上這種店，怎麼辦？

安全第一，先求脫身。這是最重要的認知，千萬不要硬碰硬，也碰不起。首先你得討價還價，能少付就少付，談妥的價錢，要他們開發票說是要報帳。聽到要開發票，除非碰上大黑店，一般都會稍微軟化，所以開發票、收據是最重要的堅持。有了發票作證據，就可以報案，就有討回公道的機會，沒有發票，對方會賴，討回的機會就渺茫了。

當然，本身的把柄不能落在對方手上，也就是不能讓人抓到辮子。你要是上了床還想討公道，不管如何解釋，也會有麻煩上身。

所以在上海，不熟的地方不去，太便宜又大碗俗過頭的地方不去，太多「好康」的地方不去，沒有信得過的熟人帶路不去。即使去了，也要厚臉皮問清楚各項價碼，連餐巾紙、礦泉水、水果盤的收費都要問清楚，不當凱子哥，不能接受時，就要儘快閃人，走為上策不能停、不能留。

再來就是消費付款了。付了錢就要拿收據或發票，為什麼？因為前輩遭受的教訓不要忘記，有太多的黑店、星級飯店附設的高檔ＫＴＶ、台商的店裡都發生過，就是有人會伸小手拿錢包，拿值錢的手錶、金飾。很多的台商離店後發覺皮夾還在，美金不見了、勞力士錶不見了，氣急敗壞地跑回去理論，結果只能吃啞巴虧。所以千萬記住，一定不能忘記要發票、要收據。

總而言之，娛樂在上海，只要不存非分之想，有高級的、普通的檔次等級，可以滿足不同交際的需求，收費也越來越合理。多打聽、多注意廣告，進名店不進黑店，要熟人帶路，就可趨吉避兇放心消費，盡情展現閣下的「台式」海派作風。

第六章

海派的生活

「呆胞、巴子、台巴子、港嘟（音）」、「台灣人啦——撐不清」……，第一次聽到上海人當面這麼糟蹋人時，實在不怎麼舒服，拿錢投資，付錢購物，買來的是被人消遣，天底下哪有這種社會！得了便宜還吃人豆腐？

從只認小費不認人、只要小費不要臉的KTV坐檯小姐嘴裡吐出來這種損人的話，為了不破壞花錢的氣氛，呆胞認了，不願意去計較。從計程車司機、送貨員、清潔工、大樓管理員，餐廳、飯店的門房、行李房小弟、服務生……，這些書唸得不多，知識水準不高，視小費為最大收入的人，照樣當著面嘟囔你兩句「巴子」、「台灣人撐不清」，瞠目結舌之餘也只好認了！計較無益。

台灣人悶聲不響的日子久了，上海人一個個騎到頭上來，接著售貨店員、售屋小姐，傳統市場裡頭賣大閘蟹、河蝦、甲魚、西瓜、暘山梨、水蜜桃的小販，眼看台灣人也學會討價還價，想多沾兩刀的盤算不成功時，忍不住（或是故意）當面念念有詞：「台灣人啦」——那個「人」和「啦」的音調還拖得特別長。聽來刺耳，也只有認了，再計較下去，台灣國罵吵不贏周遭十幾張舌尖嘴利的上海機關槍，何況有失風度。

可是這些聽來讓人極度不爽的語詞，竟然從合資對象、幹部職員工人嘴裡蹦出來，真的會讓你嘔死！所謂「同文同種」、笑臉迎接來投資的同胞、老闆、上司，日久居然當面被損成呆胞、巴子、港嘟時，已經不是要不要計較、認不認了的問題，上海人傷害的不是氣氛、感情、交情的層次，而是有關投資成敗、有關荷包的大問題。

九〇年代我初到上海，旅遊、洽談合資的短期停留期間，並沒有聽到這些話。九三年定居玉蘭花苑，和上海人接觸的機會增多後，才發覺上海人在台商面前是一種臉孔，背後又是另一種批評。更發覺自己用餐購物被騙、被矇的時間，已經超過兩年，不該支出無謂浪費的錢，更是難以計數。

為了求證，一旁偷聽本地人交易內容之下發現：大閘蟹被人偷斤減兩，價格相差近一倍；碭山梨、水蜜桃、甜瓜、香瓜、哈密瓜、西瓜上海人一斤數毛錢，我買變成八毛、一塊、一塊多，竟是兩倍、三倍價。賣菜的老阿婆更氣人更可惡，利用我喜歡毛豆和尊重老人家的同情心，毛豆別人八毛錢一斤，賣給我就變成兩塊，一賣就是兩個季節。

賣菜、賣水果的販夫走卒矇我，還可以原諒。涉外的餐廳有政府管理，應該信得過。為了求得真相，我不死心，有備而去特別光顧兩年多來常去吃宵夜、錦江飯店邊的○藝俱樂部（當年供應宵夜的地方不多），吃完結帳時馬上發覺相差六十多元，多敲我一點五倍的錢。我要求提供菜單核對，店家拿出的是另外一本菜單，單價和菜名也湊不攏，靠上海朋友的幫腔，對方態度才軟化，承認計算錯誤，原來有名的涉外餐廳也玩這種「沾」人的勾當。

這才覺悟，竟然當了這麼久多付錢還被人笑作巴子的呆胞。嗣後，不管任何地方，買東西必還價，買單必核對，結果有了驚人大發現，錯單在五星級飯店、涉外餐廳用外匯券結帳的地方也頻頻發生，比率大得驚人。即使國營百貨商店，也可以討價還價，打破上海人告知不能還價的謠傳。最好用的莫過於買單價高的大閘蟹時，要攤主共同到「公平秤」的地方再秤過，以公平秤為標準付錢時，百分之百，不是少收錢就是增加數量，好用得很。

呆胞、台巴子、港嘟，這些聽來不爽的話，最早是從靠小費為生的地方，由三教九流的從業人員嘴巴裡傳出來，打從卡拉ＯＫ、酒吧（早幾年上海尚未有PUB這種地方）、舞廳、餐廳，然後蔓延開來傳到友誼商店、涉外飯店、百貨商店，最後上海人都知道台胞喜歡付小費，付錢爽快不計較，台胞的錢，不賺白不賺。台胞錢好賺，於是連集貿市場賣菜的阿婆都知道巴子好斬，沾兩刀無所謂，因為巴子有錢。

「沾」，上海話，音同國語發音，有對方智商低能、好欺好騙，不叫對方多付點錢、佔點便宜、多流點血，有枉為聰明上海人的感覺。有點像其他地方「斬」台胞、「宰」台胞一把的說法。

剛開始我以為上海人只是對同文同種溝通方便的台胞而來，僅僅是在用餐或購物時，沾你兩下子，佔點便宜而已。結果發現上海人對老外也沾，不但在用餐購物時沾，也在房租、房價、商業往來上能沾就沾，不放過任何機會。

沾的對象除了台胞、外商以外，外地人也逃不過被上海人沾。讓人不解的是，由上海人口中得知，上海人自己不小心也被沾，大家沾來沾去，是一種現象，活在上海，固然要防範被沾被斬，如何沾人斬人，更是「有辦法」的上海人追求的境界。上海人談起沾、說起斬，臉可以不紅、氣可以不喘，小事一樁。

以此現象請教上海各階層「有辦法」的沾人高手後，終於明白這是「海派文化」高明又可愛，讓人敬佩的地方。上海人之所以不同於其他地區，就是因為有海派文化，海派文化孕育「上海人作風」，上海人以此為榮、為傲。

海派作風

海派文化是什麼？上海人的作風又是何種作風？

如果你不了解，不妨用各種方式去回想以前看過的連續劇，如「人間四月天」、「上海灘」、「阮玲玉」；看看小說「杜月笙傳奇」「黃金榮傳」；也可以去上海的書店買大陸出版的「蔣中正在上海」、「蔣經國傳」、「張學良傳」、「陳毅傳」、「租界報導系列」，張愛玲的小說對上海也著墨甚多，你都可以略知老上海。

這些紀實文學（台灣讀者稱為傳記）與戲劇，精彩的不只情節，也留下許多有關上海人與物的精彩描述。徐志摩與陸小曼為什麼喜歡上海？阮玲玉為什麼要自殺？杜月笙、黃金榮的青幫如何操控上海？為何黑道敢不甩蔣中正、蔣經國，有膽對抗兩蔣，讓銀圓券失敗？陳毅市長（解放後上海第一任市長）用什麼手段革除上海笑貧不笑娼、黑道治市、黑幫當權、蓄積百年的老毛病？甚至可以感覺張學良將軍對上海相當眷戀，是將軍最喜歡的地方……為什麼？

上海獨具魅力、多彩多姿、三教九流齊聚一堂的生活方式，照上海人的說法，誰都想學，都學不像。「海派」絕不僅是表面的派頭排場而已，還有環境塑造的內涵、特質，需要搭配上海人的處世性格與上海話的口氣音調，才能顯露海派作風的神韻。光會擺派頭，那還是巴子。

台灣人對「海派」的理解是：出手大方、講究排場。這種想法，大錯特錯！

我在上海接觸過老中青三代的上海人，固然因為共產黨的管理，海派思想、上海作風曾被壓抑而有所改變，但隨著改革開放，近十年來開發浦東、開發長江三角洲、中央政策的傾斜（意謂側重），九三年鄧小平發表後悔沒早讓上海開發的一席話，又把海派文化的「舊魂」給勾起來。

海派文化如今不但沒有被滅絕，反而因為有回歸上海的「新魂」加入，例如台灣商壇、政壇呼風喚雨的上海幫：遠東、力霸、中興、太平洋、潤泰、華隆……全部都回到上海投資，加上世界各地的「海派」弟子，回到祖國的懷抱後，讓「海派文化」的作風比當年功力更勝一籌。

如今的海派作風人士，正在執掌大陸經濟發展的大旗，不懂海派文化的人，投資大陸將會是非常危險的事情。然而，說了半天，海派作風到底是什麼呢？

第一、面子第一、大於性命。

第二、派頭第一、大於家計。

第三、敢沾人、也甘願被沾。

第四、被沾不後悔、沾人不手軟。

第五、審時度勢、能屈能伸大丈夫。

當然還有其他的特質，要依據立場、角度去挖掘，僅此五點作風，就讓大部份的台商在上海被耍得團團轉，摸不著對手的心思與大環境的風向，在上海吃盡苦頭。台商以為台灣經驗是成功的經驗，移植大陸可無往不利，殊不知當台灣經驗碰上海派作風，剛開始以為旗開得勝，卻不知中了海派作風的誘敵深入詭計，將來會怎麼樣被「沾」都不知道。

海派消費哲學

海派文化的特質反映在消費上，讓早期的台商以為上海人很好騙，很好伺候，價格可以亂定、亂標。上海人不會在乎。

錯了！上海人接受超額利潤的定價，是因為能夠滿足面子，滿足派頭，有特定的目的，消費的理由不是口味、不是實用的價值，是消費品被認同的社會價值。

我經營的火鍋店，定價不便宜，上海人卻樂於捧場。可是我發覺不斷有不像一般消費者的特定人士出現，用餐時的神情嚴肅，在店裡頭東瞧西摸，非常納悶之餘，忍不住攀談旁敲側擊，才搞清楚特定人士都是餐飲界同行，來刺探消息。不久，在我火鍋店半徑五百公尺範圍內，不到半年就增加了六家火鍋店，連星級飯店挾國有資產的背景也加入競爭。

因此，當台商朋友說，上海人精明而不聰明，在上海有無窮盡的賺錢機會，我就會告訴他，千萬不要有如此一廂情願的想法。第一，他看到的上海人多半是一般人，或者是來此消費的外地人、或者並非世居上海，不是真正的上海人。第二，真正的上海人，在此好幾代，年輕一輩的血液裡流著海派的DNA，不會讓你感覺他是上海人，而像是知心的朋友似的。因為真正的上海人有內涵、有海派文化的素養、有深藏的作風、不露餡。

再說的表象點：為了結婚勇於傾其所有、為了紅包寧願回家吃泡飯（泡麵在大陸還是有點奢侈）、為了面子拍胸拿頭作保證、外表擺派頭回家不開燈不吹冷氣……，這就是海派人士。

上海人的消費，說起來非常簡單，就是為了特定目的消費，把錢「摳」在手上，讓你瞧、讓你看，有目的再花、再消費，也就是海派文化傳承的花錢哲學。

不明白其中道理的台商搞不清楚：為什麼經歷數年市場調查，評估再評估，花費大量精神與資金，上市的商品與服務，蜜月期為什麼那麼短？為什麼這麼快就面臨血本無歸的困境？原因很簡單，無法滿足海派文化的面子與派頭罷了！

明白的人，日子也不好過，為了滿足海派文化不斷變換面子與派頭的需求，花樣與內容都要不斷的翻新，要不斷的投入心血與資金，不然還是會被要新要變的海派文化拋棄。

所以，台灣的小吃、ＫＴＶ、保齡球、泡沫紅茶、婚紗攝影、服飾百貨……，帶有社交功能的服務業台商，在上海的投資收益多半不如預期，大部份苦撐待變，想轉型也摸不著方向、找不到對策，就是搞不過海派文化，被海派文化的特質吞噬。

紙醉金迷上海灘

在宜山路、桂林路一帶從事傢俱製造業的林姓朋友告知，其工廠週邊原來有九家台商，不滿三年，如今僅剩他一家，其中死得最快的，不到半年就花光五千萬台幣的投資。失敗的最大理由：台灣頭家住花園酒店、開賓士、天天喝天天醉，以為捨命交陪可以換來訂單，結局不是落空就是收不到貨款，就這樣關門了。

林先生汲取教訓，實施「三不政策」：不外宿、不交際、不外食自己開伙，親朋好友到上海也不破例。自己身體力行外，台籍幹部也絕無例外。林先生說已經有兩年多未到ＫＴＶ，甚至沒在外頭吃過一頓飯，終於度過難關，活下來。

台商到上海旅遊、考察或洽談階段，對食宿、交際費、娛樂費的支出，如果和台灣的消費比較，並不覺得特別的貴，甚至有便宜、划算的感覺，不把此種消費性的支出放在心上。可是進入經營管理階段，需要定居或長駐，消費方式再這麼寬鬆，就知道上海生活不便宜、不划算，很多台商被海派文化牽著鼻子走而不自知，消費性支出竟成為部份台商最大的支出、最大的負擔，錢尚未賺到即被海派文化吞掉的實例太多了！

短期出差上海，生活開銷和台灣比，以為便宜，那是誤解；和上海當地比，就是天價。短期出差如果每次停留一週，一個月或兩個月才來一次，平均核算看不出特別昂貴的地方，但是長住或定居就不同，結果必定讓人大吃一驚。

精於成本計算、警覺性高的台商，馬上改正這種華而不實的花錢態度，搞清楚出差和定居的消費方式絕對不同，堅持正常的生活方式，在上海的開銷問題還不大。反之，受到周圍的上海人簇擁，被上海表象的派頭沖昏了，以為交際排場可以換來人脈與機會，結果就會被外在的海派作風牽著走，接著「馬永貞」、「上海灘」電影的劇情歷歷在目：錢花光了，失勢了，前呼後擁的人走得比飛的還快。

我在《我的上海經驗》書中曾經屈指算過，二四四元人民幣就可以在上海養活一家人，但是，幾萬塊人民幣或再多的錢，上海也讓你有地方消費，把它花光。上海人是為了面子、為了派頭而消費，但台胞就是每次都搶著付錢。

有些台商不瞭解海派文化的特質，以為長駐或定居時，可以用出差時的標準進行客套化、蜜月期的交際行為。可是某種排場的交際日久會遭到拒絕，為了更大的面子與派頭，就必須昇高消費支出，才能達到交際與維持關係的目的。

不知死活、自尋死路的台商，在台灣流行喝紅酒的時候，交際場合中總是大吹特吹自己喝過一瓶幾萬又幾萬的紅酒，想想，聽在上海人的耳朵裡，會是什麼感覺？不找個機會喝喝看，豈對不起台商朋友和自己？以後閣下幾千元的消費就想打發在下，豈不是讓「我」面子掛不住？我的份量不夠，台胞用這種場面招呼我，赴約反而被人瞧不起呢！以致台商交際、關係維持費，要不斷的升級，要花更多的錢。

不只是接受招待的人獅子大開口，台商本身因為交際娛樂次數的增加，加大消費支出事屬必然，身處海派文化中，面對紙醉金迷環境的推陳出新誘惑，聲色犬馬不斷吸引你的好奇心，滿足你的新鮮感，自己把持不住，不自覺當中，開銷自然欲小不易。

我在上海看到很多沾沾自喜的台商，開始時神氣得不得了，以為投資談成了，就有上海人幫著賺錢，有錢可花。以為賺了設備的差價，未開工就賺錢，以後也是一帆風順，所以不在乎交際費、娛樂費，不停的花、不斷提昇消費層次。

不多久，這些人不是陣亡打道回台灣，就是在上海「越花越省」苦等機會，明白「海派作風」真正意義，所付出的代價十分慘重。

省錢也是海派作風

「台北、上海，你喜歡哪一邊？」

「上海！」

「台北、上海，哪一邊比較舒服？」

「上海！」

「退休以後想住哪裡？」

「上海、蘇州、杭州，都可以。」

「為什麼？」

「為什麼？因為上海的物價低、生活費用低，什麼都不缺、投資的門檻低、賺錢的機會多，不用比來比去，生活壓力比較小，不像台北……。」

「物價低？費用低？到上海時候，KTV、吃飯都比台灣貴，亂亂講！」朋友們不認同我的回答。

親朋好友看我住在對岸這麼多年，在台北、在上海遇到的時候，總是有人問我上海的生活怎麼過？幾乎沒有人認為這裡的生活開銷比台北便宜。如果純就物價和消費的水準言，整體來說，根據英國經濟學人情報單位（EIU）在二〇〇年年七月發佈的半年期報告指出，台北的生活指數全球列名第八，上海十九，與紐約並列，差距並不大。我當然同意這種說法。

但是，這是站在企業的立場，調查報告公佈的用意，是讓企業在評估海外員工及眷屬的津貼時，能有份明確的參考數據。如果站在個人的及家庭支出的立場，在上海，我曾經一再引述上海居民可以用二四四元人民幣養活一家的事實，但也有很多人得用掉數萬元也不覺奢華。因為，台北人所理解的社會狀況，無法全盤套用在上海頭上。

如果懂得充分利用國家供應的生活機制，在上海生活真的非常省錢。不打國際電話、不交際、不搭計程車，含水電煤氣、三餐有魚有肉（當然不含大閘蟹、龍蝦等進口食材的大魚大肉），以上海市內三口人的中等家庭生活水平，每月一千元上下（四、五千塊台幣），就夠供應生活費用的開支。

在上海，掏錢、使錢的原則非常重要，不隨便掏錢就能省下一大筆錢，當然不需要學上海人為了省幾塊錢，不惜用幾個小時騎單車跨越上海市，那麼辛苦。重要的是不要師法很多台商前輩的大頭病，爽就好、亂拋錢，錢花了還被人笑作呆胞、台巴子。

寧可被人調侃小氣，不要花錢還讓人笑呆，因此上海過日子的第一秘訣就是「建立小氣形象」。要臉皮厚、問清楚、要裝沒錢小氣人；要臉皮厚、爭到底，不該付的錢不付。

我把在上海經營、生活的第一秘訣告訴朋友，大多數人不以為然，用制度、管理、人性、信任、互信、共存等人性光輝一面的名詞與想法反駁，認為如此投資、生活豈不累人，處處斤斤計較，如何能博得上海人尊重？

誠然，在台灣處理公事有制度、有審核、有報銷的規定；朋友與相識者在私事上多少有互信的基礎；公私都有一套約定俗成的遊戲規則可遵循。舉例來說，咱們說「沒問題」多半真的沒問題，但上海人（甚至大陸人）說「問題不大」，你通常得有「麻煩不小」的心理準備。在上海，假發票、假收據、假貨、假話滿天飛，稍不留神，被沾、被宰都無從發覺。何況制度是死的，存心不良的人善用死制度為非作壞事時，制度反成為工具。誰也不能否認制度會坑人。

公事上的省錢之道，要從嚴格制定與執行管理制度著手，在生活消費上更要處處提防騙人、玩人、坑人的花招，上海市政府不斷宣導要打假、打擊非法的宣傳，大家就可以感覺問題的嚴重性，店家騙人已經有損上海的形象。

到餐廳吃飯，除了記住單價總價外，不清楚的菜名問清楚，不然不要點。例如注意活魚活海鮮，被死魚臭海鮮掉包，有問題立刻反應；要仔細核對帳單，不付不該付的錢，我有太多的經驗發現桂魚、大閘蟹被掉包，以小換大、以下雜魚混充，還發現沒點的菜、沒來的菜夾在帳單中。自己的權益一定要爭到底。

到KTV等娛樂場所消費，任何項目的價格都要問清楚。我和朋友去水城路上某KTV，店家說包廂免費，起瓦士二百五十元，價格合理；但不要高興得太早，結帳時發現礦泉水一瓶兩百，水果盤一份三百五，可樂、餐巾紙一份五十元……，麻煩皆因為臉皮不夠厚，喜歡裝大爺，不問清楚。

逛街購物更要注意。不管國營、個體戶或外資的百貨公司商場、商廈，全都可以討價還價，上海市固然已實施標價制度，但「規定」不能議價的，照樣可以還價，像是徐匯區的太平洋百貨，因屬專櫃經營模式，不還價會被當作傻瓜。

到集貿市場買菜買魚、大閘蟹、甲魚、蝦，臉皮厚點，多問幾家再買，買水果亦同，這和小氣沒有關係，和你的用錢智慧有關係。要注意斤兩是否偷減，可以威脅店家到有公平秤的地方秤。再來就是注意包裝的方式，買蝦蟹甲魚等活海鮮類，攤商習慣在塑膠袋內灌水，用粗草繩綁，泡水、沾泥巴等等花招百出，為的是增加重量，不精明、不爭到底，真的會被稱為呆胞、傻瓜，付完錢才轉身就聽到訕笑譏嘲。

要有索取發票的習慣，縱使不能報帳，也一定要拿，用餐、購物、搭計程車都要拿發票，有嚇阻的功能和保障售後服務。像是搭計程車遇上司機繞遠路時，索取發票要求寫清楚上下車地點，大部分司機知難而退，自動少收以免遭到投訴。在大陸買家電家具，售後服務要憑發票更是法律的規定，沒發票或遺失，售後服務不提供或加收費用。

支付服務費用時，不只要索取發票收據，還要明白收費的標準，不合理的不付，不然會當冤大頭。在○蘭社區，同一棟大樓的管理費，外商竟為當地人的兩倍。

特別提醒，買單時務必自己親自付款，親自核對，不假手他人，不然被當冤大頭、當凱子哥都不知道。上海美眉很容易就答應邀約，卻有太多不好的美眉會在帳單中灌水，這已是公開的秘密。特別是美眉介紹的餐館、KTV、PUB、迪斯可、三溫暖等娛樂場所，消費買單的時候一旦經過美眉代勞就慘了。我自己開設的店就常受到客人要求多寫金額，最高有要求至五倍者。

裝迷糊是上策

上海過生活固然要小氣精明，但有些場合又得「裝迷糊」，這是闖蕩上海的第二秘訣。

強龍不鬥地頭蛇，古有名訓，事實上也沒有必要去鬥。很多台商不明白這點，特別喜歡和上海人鬥嘴、抬槓，以顯知識的淵博，增加自己的份量。存心不良的上海生意人，特別喜歡這類型的台商，攀親道交情，找到機會就沾你幾刀，帳單灌水，以假冒真，價格抬高，花樣繁多，會令你嘆為觀止。機會是台商自己製造、配合的，要怪誰?真的很難說。

我有個朋友雅好古玩，自詡浸淫此道數十年，簡直可以號稱考古學教授。他花了四千人民幣，買了一個和我家裡擺設完全相同的瓷盤。我一聽四千元，心裡想，既已經付了錢，就不要拆穿，讓「教授」高興。哪知道這位朋友越想越得意，拼命吹、猛力吹，從色澤、紋路、工藝特點說起，給我上起課來，還要我小心觀賞，不要碰壞，說是在肇家濱路的古董市場，花了一個下午研究，斷定是明朝的古董。

這下子讓我心裡有點兒惱。隨即在場諸位移駕寒舍，拿出我平常放置零錢、鑰匙圈的雜物盤，也給他們欣賞鑑定一番——完全是同一個模子出來的。筆者老實說：五十元。教授和幾位朋友目瞪口呆，半晌作聲不得！吹牛吹到地頭蛇的勢力範圍內，不當場出糗實在很難讓他學乖。

台商到上海，多半免不了買些工藝品、紀念品，甚至有些人喜歡玉器、紫砂壺和所謂古董的古物。一海票的台商在這上面花了冤枉錢，還沾沾自喜，以為撿到可以傳家的便宜貨。

上海人不但能說善道，還敢說敢道，對一些沒有一定標準售價的的用品物品，如紫砂、玉器、工藝品，既然敢以假冒充、抬高價值，本來就想好一套說詞和解釋方法。不怕你辯，就怕你不辯，不辯他們就沒有機會騙，最好的辦法就是不理也不要睬，幫他們製造騙人的機會。

那口瓷盤，花樣色澤與工藝確實討人喜歡，小販同樣向我說明是明朝古董。我反問：明朝？有沒有一百年？小販笑答：明朝有幾年你都不知道？我說：沒唸過書，確實不知道。迷糊到底，任何解釋，全答不知道、不瞭解、不懂。

小販準備的十八套說法全派不上用場，但瞧出我確實喜歡，要我開價，我就是不開口。小販自己的報價由四千一路降，降到一百，我這才出價二十元。小販氣死的樣子說台巴子不識貨，我回嘴答稱就是不識貨，才願意出二十元。最終以五十元成交。這就是迷糊的省錢之道。

台灣人逛街壓馬路，不少人以討價還價為樂事，從台灣夜市殺到東南亞、歐洲，視為一大成就。這種行徑到上海得改改，還價？這等於成交。你開口還價就失去反悔的資格。還價又不買，上海人絕對不給你客氣，罵街的氣勢，幫腔的同夥一人一句，會淹死人。

在上海，對於價格沒把握卻又想買的物品，可以磨、可以耗，千萬要忍住，不能輕易還價。出了價，就逼你買，不買就會遭白眼、挨罵，當街羞辱你。

像我買瓷盤的過程，從四千一路降下來都是小販自說自話，我不開口還價，他就沒有理由打蛇隨棍上要求高價買下。等小販討的價降到離心中理想價位不遠才還價，這時賣不賣的權利在小販手上，身邊的上海人從四千到一百的過程中，找不到幫腔開罵的理由。最終明朝古董當成工藝品以五十元成交，縱使被騙也僅是五十元。何況五十元買到自己喜歡的工藝品也談不上騙，不是嗎？

其他如外資的店，不一定公道，更談不上便宜，進口貨品千萬不要碰，真品一定比全世界都貴，便宜的多半是假貨。還有惡店不進，危店不入，這是老生常談（惡店：態度兇巴巴；危店：貼著倒店大拍賣）。

特色馬路消費街

記得九〇年到上海旅遊，住在希爾頓飯店，入夜後，除了對面昏黃燈光的水果攤尚在營業外，週圍一片漆黑。想吃宵夜，地下一樓就是上海市最大宵夜場，沒有其他地方可選，想花錢消費，除了五星級飯店的鋼琴酒吧、夜總會，只能在飯店門口找三七仔帶路去你心驚膽戰的酒吧。

九二年、九三年，外資漸多，除了飯店附設的卡拉ＯＫ、迪斯可舞廳算是有點新花樣，南京路七、八點就打烊了，徐家匯正在興建，淮海路封路重建中……，市面除了工藝品，真正能讓台商花錢的地方不多。

到了九五年，不同了，外資百貨業、餐飲業逐漸進入，ＫＴＶ、迪斯可興起，消費內容多樣化，想消費、想花錢，不愁沒地方。

九七年開始到今日，台北有的，上海都有。到上海，什麼東西都可以不用帶，只帶信用卡和錢就夠了。新台幣？當然可以！只要是錢就可以！我在宋慶齡故居的國營販賣部買茶壺，新台幣一樣好用。

上海市場提供地方、貨品、服務以滿足消費需求，和世界各大城市沒有兩樣外。近年來，上海市政府、區政府為了發展經濟，推行了和台北不一樣的「馬路經濟」（這是我自己給取的名稱），我認為將會是未來在上海購物的另一種特色。

馬路經濟，顧名思義，就是為了各地的發展，為了方便消費者，為了挖空消費者的荷包，乾脆把一條街，或一條路的某一段，闢為專業性非常強的集中地，以滿足特定的消費需求，在上海正式的名稱為「特色馬路」。

已經成形的，有氣候的特色馬路，比較知名的有三、四十條，茲選擇台胞消費時利用得上的，供大家參考

華亭路：仿名牌服裝市場（注意了，是「仿」名牌喔）。

江陰路：花鳥市場。

陝西路：花卉市場。

乍浦路：小吃餐飲街。

黃河路：小吃餐飲街。

衡山路：餐飲休閒娛樂街。

思南路：酒吧街。

長壽路：火鍋街。

滬青平公路：生猛海鮮路。

東台路：古玩市場。

福佑路：古玩、小商品市場。

北京路：工業用品街。

威海路：汽車零配件街。

宜川路：建材裝潢用品街。

宜山路：建材裝潢用品街。

銅川路：水產市場。

龍門路：水產市場。

文廟路，書刊交易批發市場。

福州路：文教用品街。

另有茶葉、舊貨、燈具……，規劃中的還不知有多少，下次到上海，看到整條街賣的內容大同小異，不要奇怪，這就是上海的特色馬路、消費街，讓你掏錢的地方，讓你展現你所謂「海派」作風的地方。掏錢之前再提醒：別當呆胞。

第七章

流汗的正當方法

九四年以前，長駐上海的台商，最大的困擾，不是煩投資、煩管理、煩業務。上海商機處處，沿海開放區遍地以優惠條件招商，此時正值第一波投資大陸的熱潮，風生水起，前景可期的氣氛瀰漫每個角落，填滿每個人的心中，困擾是有，早已經預估到了。何況投資剛起步，只要按部就班照表操課，雖然辛苦卻是錢途光明，心中不覺得算是困擾。

最大的困擾是什麼？是流汗。是沒有地方可以流汗。沒有地方運動。長駐上海的台商，不久便發覺，離開了五星級飯店的游泳池、健身房、網球場、保齡球道，就沒有可以流汗的地方，和印象裡中國是奧林匹克金牌大戶、體育大國的想法，差太遠了。上海都如此，其他地區就更不用提了，台灣人發現這裡可供流汗的場地，少之又少；不但少，管理、收費的特殊規定，更讓喜歡休閒運動的人無奈，個個長嘆：唉！上海！連流汗都要找關係，都要有門道，流汗運動，竟然也是奢侈的享受。

當時上海的高爾夫球場只有一個，在青浦。想打場球，非會員需透過會員、涉外的特約飯店、旅行社安排。非假日時段的果嶺、桿弟費每人收費FEC（外匯券）九百五十元，當時約合台幣五千元。至於假日——對不起，除非有特殊的關係或門路，恕不接待。高爾夫球在上海，不是忍痛花得起錢就可以玩，三番兩次遭受安排過程的「折磨」後，我憤而發了「毒誓」，再也不把球具拿出來，看不見就不會想，就可以省卻折磨，省得心煩。

金牌大國體育小國

九〇年代初，上海的網球場僅有萬體、體育中心、蘆灣、靜安、華山、徐匯、旗忠村等地，上千萬的人口，網球場地數竟不滿三十。和人口數不成比例還不是問題，問題是非假日以教學、訓練為主，多數網球場地縱使空無一人，想付錢租用一樣不被接受，求也沒用。原因是：球場的非開放時間，負有完成訓練的任務，不能供一般人使用，以免妨礙任務、妨礙出金牌，球場是為了選手而設，不是為老百姓。

假日呢？上午是幹部使用時間，不對外開放。例如體育中心、萬體網球場是市級，徐匯網球場是區級，僅供領導或退休高幹練球強身，不對外開放。下午，對外開放了，只可惜全部場地一年招租一次，全給人包下來啦！想打球，下年度請早預定，還得包全年，不定期與臨時想打網球的人，對不起，無法接待。

在攝氏三十八度的夏季高溫下，每個台商都有游泳玩水的慾望。向上海朋友打聽，他們會說：地方多了！復興路上的跳水池、萬體的游泳館、靜安、徐匯……每個區都有，還不忘唾沫橫飛地介紹錦江樂園，說此處有最先進刺激的水道。有些上海人還會洋洋得意地說，上海出過莊泳、樂什麼儀、什麼惠的奧運金牌選手，游泳的話題說不完（禁藥的事就別提了）。

可是台灣人依照指示到了游泳池後，實在忍不下心下水和小朋友們擠——那不是泳池，是大浴缸，遠遠望去簡直和一鍋餃子一般。到上海市隊有名的訓練場地萬體游泳館，發現此處只有星期六、日開放，限人數限時間。到錦江樂園，更不得了，設備是有水準，可是那些使用者的行徑會讓你瞠目結舌，把你游泳運動的慾望一段段、一節節的打死。游泳計畫處處「泡湯」之後，台胞不得不回頭，動飯店游泳池的腦筋，假借住宿朋友的名義或忍痛付出外匯券一百五十元，在運動流汗保持體力的同時，荷包也大量失血。

為了健康、為了鍛鍊體力，有些台商乾脆在廠區內設置網球場、羽毛球場，添置乒乓球檯、撞球檯、健身器材，自娛亦可嘉惠員工，想法有千百個正當的理由。可是設備齊全了，誰和你玩？

中國的羽毛球號稱優霸杯、全英公開賽、印尼、大馬公開賽盟主國；乒乓球更不得了，稱霸世界，尊為國球。中國的球員多到可以外銷，可是那些大陸員工只會吹牛，球技連三腳貓都談不上，不只對手難找不好玩，公餘下班後，「請」他們一起運動流汗、培養興趣，個個推三阻四之外，還不忘消遣一頭熱的老闆：為什麼不設卡拉ＯＫ？同樣的錢，用來唱歌豈不更實惠，更能照顧員工？

結果，部分台商只有發揮毅力，只有從事不花錢、不受氣、但寂寞的慢跑來達到流汗的目的（清晨或下班後慢跑的台胞，千萬得當心人身安全）。不然只有被迫去逛街、打保齡球、喝咖啡、唱歌……運動的時間變成休閒，原本想鍛鍊體能的反而變成消耗體力、打發時間。

上海人不愛運動

一般上海人根本沒有運動流汗的習慣，體育設施主要的目的是為培養金牌選手，管理運動場地的出發點，是為了在國際比賽創造成績，爭取面子為第一優先，體育的金牌固然是大戶，體育風氣在某些角度看來，根本是小國，出乎台灣人的想像。

所以，每回我聽到初至上海履新的朋友搞不清楚狀況就許下弘願，說要利用機會、利用時間，學好高爾夫、學好網球，以彌補在台灣沒有時間運動的缺憾時，不禁啞然失笑，調侃他們話別說得太早。我說，到了上海，喜歡運動的人和不喜歡運動的人，最終八九不離十，幾乎都選擇保齡球作為運動流汗的主要項目，寓休閒於運動，最後搞不清楚是運動，還是休閒，還是為了交女朋友，進行婚外情的方便而運動、而休閒。把流汗健身的原始的目的與動機，全都搞迷糊了。

我經常告訴台灣朋友，在上海不要和當地人談運動，談運動，佔不了便宜，他們都可以背出一大串金牌選手的名與姓，如數家珍地報出超級運動員的故事給你聽，給你上課，對照他們的運動本事，讓人聽了氣結。如果台商不識趣，向他們打聽可以運動的地方，上海人都有具體的地點提供參考。可是當台商依指示到運動場所時，特殊管理制度的情況會發生，不符運動條件的現象會發生，根本達不到流汗的目的，至此你也不能怪上海朋友，因為他們沒有運動場地使用的經驗，也不懂。因為一般上海人平常根本就不運動。

你說想流汗，說新陳代謝，他們會反駁說，騎腳踏車上下班、擠公車，流汗累死人不也就是運動？實情確實如此。上海人不流行說運動，運動的代名詞是指打保齡球、打檯球（撞球）、跳迪斯可。說休閒指的是唱卡拉ＯＫ，在家裡、公園裡、樹下、天橋街燈下，賭紙牌、打麻將。每個人都喜歡自我解釋，借用鄧小平先生的「聖旨」名言，說麻將和橋牌可以訓練腦力，於是麻將成為上海人最喜歡、最大眾化的休閒項目，大人小孩樂此不疲，視為「國技」，二十四小時，日夜不停的進行。上海人打麻將的時間都不夠用，何來運動流汗、培養體力的閒情？

和上海人談運動說休閒，他們的概念和台灣人不同，他們說的是先進的、時髦的、炫耀大於運動目的的保齡球運動。

不談高爾夫、網球、游泳、退而求其次，說爬山、踏青、郊遊烤肉，台胞也會頗失望。上海地名中的寶山、昆山不是山，佘山風景區是小山，上海週邊沒有山可爬，沒有青可踏，也就不流行郊外烤肉，上海人也聽不下去，還會笑台灣人好笨，笨到花錢流汗買罪受。

台商的運動

身處運動風氣不盛的運動大國當中，台商幾乎被迫放棄原來喜歡、習慣性的運動與休閒，這也是在九五年、九六年間，上海市的保齡球館暴增兩百餘家、三千多球道的原因。在上海的台商，不管你喜不喜歡，最後鮮有不打保齡球，視保齡球為唯一流汗的機會。

保齡球館如雨後春筍出現，衍生的後遺症，除了讓較晚投資的台商大虧老本身陷其中之外，最大的影響是，很多原來在台灣沒有碰過保齡球，沒有時間「運動」的人，也開始玩起保齡球。獨樂不起勁，不如眾樂，最好讓陪打的美眉大樂，熱門時段一局索價人民幣四十元的保齡球，於是具有流汗兼公關交際、交朋友的多功能。上海人的休閒運動從牌桌轉到保齡球，無處運動流汗的台商不得不轉進球館，兩岸人士樂此不疲，間接擴大了婚外情、二奶現象。我經常笑稱，回台灣訂製保齡球具，買保齡球鞋的朋友，在上海一定有「搞頭」，很可能有了女朋友，有包二奶的嫌疑。

球館風潮之後，上海為了舉辦東亞運動會、全國運動會，大肆擴增運動球館，加強硬體建設，公有的運動場地大量冒出。例如八萬人體育場，世界第一座位於第五層樓的靜安游泳池、新式體操館，仙霞網球中心、田林體育中心等地紛紛落成，好像上海人一夜之間改變運動習性，有使用不完的場地似的。

另一方面，在住宅小區、社區的部分，不知是為了時髦趕流行，還是真正為了居民的健康著想，也普設網球場、游泳池、健身房，好像沒有這些基本設施就談不上高級、有特色。

九五年以來，望眼上海，運動場館之多，和九〇年代初期有截然不同的景象，網球場、游泳池、高爾夫球場、練習場、乒乓球館櫛比鱗次，甚至有比台北還新潮、連台北也沒見過的室內卡丁車駕駛場、實彈射擊場、室內人造浪游泳館、旱冰場等。

表面上的數字和建設成果看來，上海的運動設施相當充足，台商有了更大的選擇權，可以滿足暢快流汗的需求。這種天真的想法不符實情，除非你在上班時間溜班，搶機會使用，星期例假日想痛快的流汗運動，還是奢侈的困擾。

因為，上海的大眾化運動場地還是沿用老辦法來經營，以方便管理為主，例如大眾化的網球場，幾乎仍採取預約或時段長包制，台灣常見的年費會員制球場，此地仍未出現。除非你願意花一年的費用只偶爾打幾場球，否則臨時起意打球湊齊人數時，保證訂不到球場，令人非常掃興。而所謂的大眾化網球場，場地費每小時也得三十至六十元人民幣，並不便宜。

高爾夫球場這幾年間增加不少處，在一小時車程內可抵達的球場就有好幾個，果嶺連桿弟的費用在內大幅降低至數百元，但因外商大量的湧入，使用者激增，例假日比台灣還難訂到場地，還是需要提早預定。只玩揮桿的練習場每盒球十五至二十元人民幣，收費比台灣還貴。

真正大眾化的是游泳館、游泳池，設施是改進了許多，但氣氛不對，民眾仍把游泳池當成大浴缸，讓人不習慣、不舒服。台胞想游泳，還是乖乖的回到飯店，繳交近萬人民幣參加俱樂部，以圖個清靜與方便。花錢享受尊榮的人可以舒服地運動，但「非老闆」級的台籍幹部依舊場所難尋，還是回到保齡球館。上海市內的保齡球道固然很多，熱門時段降價的幅度，由四十元降至三十五、三十元，嚴格說起來，保齡球還是很花錢，也不符運動的標準。

運動：上海的貴族消費

保齡球收費依舊不便宜，更有離譜收費的地方，例如衡山路〇〇飯店附設的網球俱樂部，入會費竟達二萬五千美金，使用設備要預約並另行收費；想加入高爾夫球俱樂部，先繳入會費二至八萬美元；飯店附設的健身俱樂部年費萬餘元，不見得有合格教練指導。台商縱使有錢，也覺得不划算不合理。

事實上，這就是上海人高明的地方，他們知道只有外商們才肯為了運動流汗不惜花錢，依照市場機制，要滿足這麼少而強烈的需求，供給價格當然可以高得離譜。台灣人已經算是不太落實運動習慣的了，健身房、網球場、游泳俱樂部裡還是有一大群的公司職員、主婦、學生，收費也算合理，上海人的運動習慣真的比台北人還差。

所以，在上海要運動，就要明白貴族消費的道理，想花錢少少、運動多多就要動腦筋突破限制，有不花冤枉錢的辦法。

我喜歡網球，為了運動習慣不被中斷，東想西試，終於突破此地運動場館與台灣不同所造成的使用限制。採取的辦法：一方面要和不同Group（集團）的台商朋友保持聯繫，因為他們的公司會替幹部租用場地；一方面要廣交不同身份的上海朋友，有退休的、年輕的、已經組隊的。

有時間想打網球時，我就和這些朋友們聯絡，不管在任何時段，假日或非假日，都有隊伍可臨時性加入，都有地方可打球。我的運動時間不但不受到限制，反而充分利用參與成員的限制，既達運動流汗的目的，亦廣交不同層次的朋友，聽聽他們說上海，評上海，交際的功能也順便達成了。

生活在上海，運動休閒的方式必須改變固有習慣，融入他們的管理和使用觀念中，不抱怨、不批評，也能達到健身的目標。像是需要隊友與場地型的運動，你可以自己組隊、參加別人的隊，不限參加哪一隊，都是非常有效的辦法，網球、高爾夫球、羽球、籃球都可採此法。

最現成的方式就是多打聽，有那些成型的隊伍，符合自己的運動習性。例如台商在上海較有規模且固定集會的運動組織，就是星期四晚上和星期日下午在上海體育場的籃球、羽球、乒乓球的聯誼會，月費僅百元人民幣。

正確的休閒觀念

記得十餘年前，男高音帕華洛蒂那個大胖子到台北演唱，我買不起台幣兩萬元的門票，只得蹲在中正紀念堂的地上聞聲不見人，享受難得的經驗。大胖子，兩萬元，讓我至今忘不了在台北想觀賞有點名氣的表演團體，要進場就要付出可觀的代價。

在上海，只要多留意新民晚報，就可以發覺，除了港台、日本、歐美知名藝人的娛樂性演出的廣告不斷外，更有著名交響樂團、芭蕾舞團、劇團等嚴肅音樂的公演廣告。

到了上海，不只環境與投資管理的經驗對台商而言是新的，生活運動休閒更是新的。大陸早就實施週休二日，週末的休閒時間比台灣還長，如果不懂得安排，或是安排不妥當，絕對讓人不舒服，甚至覺得上海實在待不下去。有家眷在身邊、有多位同病相憐的同事相互照顧，感覺上也許不那麼深刻。單身赴任者，如果不知道如何渡休閒時間的無聊與孤獨，婚外情、包二奶的現象會因此而增加，影響的不僅是個人工作情緒，對投資事業造成傷害，更會影響家庭和台灣的社會安定。

在上海，我看過太多的台商，不僅不懂得休閒，更用錯誤的觀念處理休閒的時間。他們招朋引伴到周庄、朱家角、蘇州、杭州旅遊踏青，到淀山湖到森林公園、頤和園及各地的主題樂園消磨時光。此種移植台灣經驗，以接觸大自然的郊遊來放鬆心情，做法不是不好，只是那些朋與伴有問題。

奉派大陸的台灣人初來乍到，總喜歡找看得順眼、能聊幾句的當地人當嚮導，以了解上海（或其他地方）的景致與民風，而通常看上的最佳人選就是身邊的美眉，她可能是歡場女子、可能是公司職員、也可能是所投宿飯店的職工。找美女當遊伴就不對了！數不清的婚外情、包二奶的結局，就是由這種「正當」休閒起頭的。

保齡球的運動量不太大，但也算是運動的一種，到ＫＴＶ唱個歌、到迪斯可跳舞、到ＰＵＢ、咖啡館喝杯酒、品嚐香濃咖啡，都是正當的休閒，如果和貼心的朋友共同進行，更是難得的機緣。問題是，成千上萬的台商把這種「機緣」，加上太多的想法，想春風幾度後可以好聚好散（其實是不負責任）、想銀貨兩訖不帶感情、想回台灣之後就可切斷來往……，於是和背景、出身、思想不相稱的異性朋友共同休閒。單純行為的目的複雜化以後，成了衍生婚外情、二奶的源頭。

純打球、純喝酒、喝咖啡、純逛街、純唱歌、純跳舞，不是不能做，是要做「純」的，休閒就是休閒，不要摻雜其他目的。每當我這麼對朋友說的時候，總是惹來哄堂大笑，大多數人不以為然，認為如此休閒不僅沒意思，也不切實際——美女欣賞你的魅力時，誰能拒絕？可是，當初笑得最大聲的人，後來都笑不出來了，不是被女人搞得心有旁騖使投資不順暢，就是已經陣亡回台灣吃自己，自己回台灣休閒了。

休閒在上海，絕對不僅是打保齡球，喝酒唱歌那一類，有太多的去處，沒有人注意。

高貴不貴

帕華洛蒂、多明哥、卡列拉斯等世界著名的男高音，維也納、芝加哥交響樂團、莫斯科芭蕾舞團、日本的劇團舞團、上海交響樂團、馬友友、李堅、傅聰、黃英等等台灣請不到的炙手可熱音樂家，都曾在上海演出，這裡反而有更多的機會可欣賞，最大的特點是票價，便宜得不夠在台北吃一客牛排。

在商城劇院、蘭生劇院、美琪戲院、上海音樂廳、市府小禮堂、錦江飯店小禮堂，幾乎每天都有不錯的節目在上演，更直得一提是新近落成的上海歌劇院，堪稱亞洲一流。在上海不去歌劇院報到，實在可惜。這裡的設備、音響效果特別好，對中國專業演出者的意義如同卡內基音樂廳，因此不斷有一流交響樂團、一流音樂家縱使免費也願意演出。

如果對高格調的嚴肅音樂沒有興趣，流行音樂大型化演出雖然因為對社會風氣有不良影響（票價太高、人氣太強），受到管制後，次數沒有前幾年頻繁，小型化的演唱會仍在不斷的推出，因為沒有任何藝人敢輕視上海，不到上海賣力演出。

這些都是要花錢的休閒方式，不想花大錢的人，最省錢省事，最容易打發時間的辦法，就是到大街小巷賣盜版ＶＣＤ攤位上找新片，台北百〇達還沒推出的名片大片都可以找到，一片十至十數元人民幣，比在台北三輪戲院的票價還便宜。別太計較ＶＣＤ片的質量，這種娛樂的花費物超所值，違反著作權法的行為不能鼓勵，但絕對划算。

在上海定居，休閒絕對不是問題，問題在於自己是否懂得安排，用心去安排就不會覺得這裡沒有休閒去處，也不會有後遺症衍生。我必須一再強調，高消費的高爾夫能夠不玩就盡量少玩，高爾夫帶來的後遺症，我在《我的上海經驗》書中已經詳細述說過，打一次高爾夫的花費等於廠裡工人賺一個月，會產生極為惡劣的示範效果。想想當年在台灣打拼事業的心境，會讓休閒觀念更正確。

第八章

上海人的灰色錢包

下崗工人每月收入二百四十四元人民幣。

花園酒店一天租金二百四十元美金。

花園酒店一天的房價，竟然可以養九個領失業救濟金的工人，誇張點說，光是在頂級五星飯店睡一晚，就可以養九個被資遣的工人家庭。你一定會質疑：算法對不對？有沒有搞錯？太離譜了吧！

算法完全正確，完全符合目前的狀況，如果你認為離譜，改用另一種算法，你會感覺這個事實更離譜。花園酒店住一個月，光是住房費，你不能吃不能喝，就可以管一個工人二十年的住、吃、喝、拉、用，這才真正離譜！一個月的起碼開銷可以在同一個城市中養一個工人二十年，實在不可思議。

我的朋友華先生每次回國視察業務都住假日皇冠，每年大約在國內住六個月，我粗略算算給他聽，老華一個月「睡」掉上海工人二十年，他六個月「睡」掉人家一輩子。

US240. 00 × 9（黑市匯率）× 30 Days = RMB64, 800. 00

RMB64, 800. 00 ÷ 244 ÷ 12 Months = 22. 13 years

如果你看到這種數字便以為：大陸人一定吃不好、穿不好、日子一定很難過；兩百多塊人民幣不過台幣一千，上海的物價一定低、消費一定低、東西一定便宜；二四四元就可以養家，就可以活一個月，那我用十倍、二十倍的開銷，合台幣也不過萬元左右，定居大陸過日子，那豈不成為有錢人，簡直可以當個僕從如雲的大老爺了。

繼而想想：工人的收入既然如此微薄，如果把工廠搬來大陸投資，就可以多請幾個工人，多請幾個傭人，用人數來補效率，總比在台灣請不到工人，申請不到外勞來的沒煩惱。

腦筋動得快的人馬上嘴角浮現微笑：這麼說，包二奶、娶個小老婆只要兩三千元人民幣就該綽綽有餘，我花下崗工人的十倍、二十倍月薪來請個漂亮女伴伺候自己，理論上絕對可行。上海這個城市美女如雲，既然人工如此便宜，為了慰勞辛苦的大半輩子，不包養一個小老婆未免太笨了。

不管你去過幾十次大陸，只要不定居長住深入市井，絕對無法發現以上的想法大錯特錯。誰說二四四元的收入就不能過快樂日子？二四四元是國家資遣之後按月發放，不用上班就有的收入，有點像是失業救濟金。除了二四四元收入以外，下崗工人另有醫療免費、保險金免繳、有實物補助、有其他的津貼收入……，幾乎全部都是可支配所得。

固然有人只靠微薄月俸過日，但多數上海國營企業的資遣工人領了二四四元以後做別的營生。他們不用偷偷摸摸，可以光明正大去找其他的收入，可以去私營、外資企業上班，可以下海做生意，可以申請個體戶執照，可以成為私營企業主，只要自家公司開始獲利繳稅之前，這二四四元可以一直領。

二四四元對於發不出、領不到遣散費的特困國營企業員工而言，簡直是大旱之望雲霓。山東、河北、河南、四川等地的鄉下農民，每個月家庭開支只需約一百元人民幣，二四四元算是鉅資。即使在一水之隔的江蘇北部，二四四元已經足夠用來付電費、買日用品，買好幾籮筐無法自產的食物，是令人羨慕的大錢。我在上海的豫園，花兩塊半人民幣點了一海碗的餛飩，根本吃不完，這是二〇〇〇年發生的事。

然而你說上海物價低？消費水準低？東西便宜？會讓上海人罵死了！

以大閘蟹為例，十幾年前，當外商還沒有大量湧入的時候，鄉下人在金山、青浦、奉賢等地，想吃抓就有，不用付錢，市場裡一隻三兩重的蟹買一斤不用五塊。後來大閘蟹被香港人、台灣人吃貴了，九五年最高價時，竟要四百多一斤，如今也要一百多，下崗工資買不到兩斤大閘蟹，氣得大家嘴裡罵個不停。

同樣的情況也反映在崇明毛蟹、甲魚、帶魚、黃魚、青魚、草魚、鯽魚的行情，以前向漁家要一兩尾根本是隨手可得不要花錢，或是幾毛錢一斤的主菜，如今的價格簡直是幾十倍、上百倍的漲幅。副食品類、蔬菜類亦是如此，價漲的幅度大於收入增加達五倍、十倍，搞得上海市民怨聲載道，迎來外商後，民間反而先受其害。後來上海市政府大力推行菜籃子工程，最主要的目的就是壓抑民生必需品的價格，縮短錢包和菜價的距離，以平息民憤。

現在的上海，五塊錢可以買到一袋煎包，我早上搭機前買了，傍晚飛到台北時用烤箱熱了，給老婆嚐嚐，她很驚訝裡頭餡料都是瘦肉；但五塊錢買蝦蟹的事情，只留在記憶裡了。

三千塊啥也別想包

到現在還有台灣人在閒磕牙的時候說：三千元人民幣就可以包二奶當太爺。須知，慾望是個無底洞，二奶絕不以三千元的包養給付為滿足，在上海，三千元可能還不到本地女人「滿足」的下限，因為上海二奶村裡到處都是一個月花掉一萬多塊人民幣的「超值情人」。

二四四元可以讓很多上海人快樂，但不表示十倍收入的三千元可以更快樂，可以更滿足生活，可以讓棚戶長大的二奶覺得如在雲端。

上海這個地方，一直被人驚嘆、被人追求，民國初年如此，解放前仍為遠東最大金融中心時如此，改革開放後更是如此，任何人想了解上海的魅力何在，都不是容易的事情。二十萬字也描寫不盡上海的迷人之處，有人在此散盡家產、耗盡青春卻執迷不悔，有人在此看盡繁華後大隱於市，更多人夢想從這裡青雲直上晉身權貴，每個人喜歡她的理由都不一樣。

站在個人的立場，以各有所本的角度，就自己生活的領域，大家都可以說出一大篇留在上海的理由。十年之後，你就會和我一樣發覺，上海不同的生活領域與不同的生活層次，都極富魅力。

二四四元的下崗工資，懂得利用，不追求物質享受，生活照樣可以過的很快樂，三餐有魚有肉、有電話可用、有電視可看、有報紙可讀，生活上該有的他們都有了，所以沒有不快樂的理由。

三千元的收入，卻不保證可以滿足慾望，比領失業津貼更快樂。因為上海有全然不同於二四四元的生活領域，讓三千元收入的人感到生活水平不過小康而已，例如同樣是大排麵（排骨麵），在個體戶的小店只要兩塊五毛，在南京路百貨公司的美食街就要十幾元，星級飯店更要五十至百元不等。

上海這個地方，有利用二四四元就可以快樂逍遙的生活領域，到了另一行政區，可能就得以兩三千元消費才能差強人意，而通常這個收入層次的人和五千、八千元所得的人生活在鄰近社區，因此他們看得到更高水準的享受卻得不到，反而不快樂。這就是二奶被包時，她的生活標準不會和二四四元領域的人比，她們是要追求隔壁大樓住戶的五千、八千水平才滿意。五千、八千的目標完成後，更想更進一步達萬元戶級……。

十多年前，我初到上海，住在希爾頓飯店，和接待小姐談、和餐廳的小妹聊、和服務生打屁、和計程車司機、售貨小姐、飯店門口的三七仔、外幣黃牛、水果店的個體戶等各行各業的市民攀同文同種的交情，幾天下來，每到一處都受到巴結，無數羨慕的眼神與好聽話在關愛。我和多數的台商朋友一樣，身體輕飄飄，走路都有風了，神清氣爽，整個感覺好得不得了。

那個時候鄧小平還沒南巡，上海根本還是個處處破落戶的過氣都市，住得起希爾頓酒店五十美元房價，身價絕對高於現在住花園酒店的人。上海人對於靜安希爾頓的台灣住客一次又一次地表示驚嘆！任何場合遇到的上海女人都是容易親近的，樂意應邀的，台灣人在上海當大哥、大老爺，太容易了。

當時我心裡就是這麼想，台北人的經濟水平來到上海可以過優渥的生活，八九、九〇年時相當稀有的台商備受禮遇，我就是因為這樣展開了合資案、買房置產，打算長期落戶上海。

上海像是個千面女郎，從灰姑娘到公主、風月俏佳人到望之儼然，不同層次生活領域的人都能愜意過活，這是在這裡住了好幾年後才有的領悟。剛定居此處時，我根本不知道這個八百塊人均月薪的地方，三千塊也不見得可以過得舒服，根本不知道上海不是想像中的單純好應付，好生活。這樣的描寫還是很不具體，我從上海人住的地方說起，你就可以領會，社會主義的上海市二四四元如何快活過日，市場經濟的上海市五千元如何入不敷出。

一市兩制

棚戶區 人均居住面積不足五平方米的住宅區。套西方的用語，不妨以貧民區來比喻。這裡居住環境之擁擠惡劣，讓出身地狹人稠的台灣人也皺眉頭，祖孫三代五個人以上，居住總面積不足十平方米，也就是約三坪左右的地方，這種居家環境縱使有錢想要用，都不知道如何用起。

棚戶區住戶的電視不能大，大了佔地方。空調不能裝，或因電線老舊，裝了會走火，或因電力不足，裝了也無法啟動使用。太高級費時料理的菜不能買，買了在公用廚房中，沒有時間空間可烹調。浴室公用或沒有浴室，偷窺不必裝針孔攝影機，想多用點水都沒有資格，洗衣機就甭提了。在為家裡多花點錢佈置，新傢俬根本沒有地方可以放。

棚戶區以前在上海佔地很廣，容納了幾百萬上海市民。九五年前除了南京路、淮海路週邊地區較少外，各地的棚戶區每平方公里密度高達十數萬人，人多、髒亂、治安差，散布於各行政區區中，現在的商業重心之一豫園，那時根本全部都被棚戶佔據，進去之後像是迷宮。近年推行大規模的改造，經過拆遷後，特大面積的棚戶區可以說沒有了，只剩下小面積的，也是每月只要二四四元就能活得不錯的區。

幾年前，我去台北探親之後回上海，出了機場搭上由女司機駕駛的計程車。說明目的地為玉蘭花苑後，女司機即問，玉蘭花苑有多大？我答稱一一〇平方米。女司機隨即大聲嘆氣說，這輩子沒有指望了！我問她，為什麼如此說？女司機說，她和公婆、先生與小學二年級的兒子，住的地方只有八平方米。

我笑問：「太厲害了！八平方米還有辦法做生小孩子的事？」

女司機反應也快，馬上笑答：「找時間，搶空檔啦！」

「時間怎麼搶呢？」

「公婆吃完飯，就會去散步。」

「小孩子呢？」

「打發他出去，半個小時再回家。」

「那冬天，下雨天，老人家不散步，晚上要的話，怎麼辦？」

「嘴巴閉起來！」

「那也免不了有聲音呀！」

「顧不了這麼多了！」

「那小孩呢？小孩睡在哪裡？」

「搭個吊頂的閣樓。」

「那床，床怎麼分配？」

「老人家有固定的，我用兩用床，睡覺的時候打開來，中間用布廉隔開就行了！」

石庫門區 屋如其名，顧名思義，類似城堡的功能，全大陸僅在上海才有。這種住宅區背對馬路，僅有窗戶沒有門，全區出入口僅有一個，發展的歷史比棚區短些，是在民初後，由猶太人、德國人在租借處率先起建，供當時比較有錢中等階級住戶的住宅群，對外隔離以便防禦。

石庫門區的房型結構較新、屋齡較短，解放前既為中產階級住戶區，每室、每廳和棚戶區比較，室內面積是大一點，住起來舒服點，有十餘平方米、二十餘平方米的空間供使用，但同樣面臨公共設施不足、設備老舊、電線老化的缺點，住在裡面，現代化的家電產品，同樣無用武之地，也是有錢沒地方使的地方。

舊式小區 解放後為解決住的難題，大量興建沒有電梯，樓層又高的住宅區。這種高層公寓樓層達六至八樓，不設電梯，隔間成二室一廳，同樣面臨老化的大難題。

新式小區 改革開放後才興建的住宅區，樓高十餘層、有電梯、房型較大，已放大至二十餘、三十餘平方米。這種大樓的老電梯常出毛病，電梯有專人管理，視同珍寶，有開放使用的時間限制，使用時間以外，例如晚上十一時至凌晨六時，電梯不開，就得靠兩條腿爬十幾層樓梯。

除了以上大略性的區分外，當然還有其它的住宅類型，例如新建的花園小區、特色小區等，和台灣人所理解的現代住宅差不多。為什麼提這些？這是為了讓沒有深入上海市井的台灣人明白，搞懂上海人讓階級涇渭分明的厲害與精明。棚戶區是三教九流、盲流居住的地方。石庫門區的人，解放後馬上就分配到居地，不是老上海人，就是當年有戰功有來頭的人。舊式小區是戰功區、老幹部集中的居地。新式小區是獎勵對新中國特別有貢獻人的居地。

所以上海人可根據居住地，大略判定對方的身價和生活的層次，掂算對方的荷包，是否有消費的能力。比如說，現在還窩居在棚戶區，吹再大的牛，沒有幾個人會相信。棚戶區的人買貴重家電，送貨前賣方一定要求貨款付清才送，棚戶區的人交男女朋友，總是比較吃虧，甚至不容易交上朋友。

上海人既然有根據住房品質衡量對方身價的價值觀，上海人在無法打破傳統、改變價值觀的情形下，已經發展上海才有的，「源於居地」的特有消費文化，棚戶區、石庫門、舊式小區，各有各的消費世界，新式花園小區，有游泳池、網球場、購物中心的特色小區與別墅區等，又是迥異的消費世界。

這也就是台灣人的腦筋轉不過來，想不通為什麼上海有人二四四元就可以過日子，而自己花了兩、三千元，再多花一倍到四、五千還不夠開銷，二奶要五千、要八千還不滿足，一直不停要錢，一直嚷嚷不夠用。因為每晉身不同消費階層，所用物品幾乎都要全部換過，連內衣褲換牌子都要昭告諸親友，否則無從彰顯身分不同了。

如海納百川，任何一種消費層次上海都要，都能在上海容身。如前面例子，同樣的大排麵從兩塊五毛至百元，衣服從幾塊錢至萬元以上，酒席從數十元至數萬。台灣人有不同消費層次，但不同層次之間區分非常模糊，而上海人的消費區隔彼此相當明顯，我和朋友去豫園附近的個體戶吃飯，每盤菜都份量十足，菜色比國營酒家還多，一行人直呼過癮，上海朋友卻皺眉說上了水平的本地人不來這種地方。

台灣經常可以看到開著奔馳（賓士）的人去吃雞肉飯、阿宗麵線、六合二路夜市、彰化肉丸，也許你對面坐的吃客就是BMW的車主。咱們視為理所當然的花錢所在，上海朋友聽了大感驚奇，難怪上海媳婦大罵士林夜市，老公帶她去棚戶區吃飯，真夠瞧不起人的。

錢從哪裡賺

二四四元是矇人的數字。二四四元僅是現金，僅是本薪部分，尚未包含醫療費、保險費、實物津貼等其他不用自己付錢的國家福利。下崗工人不搞外務，實際的收入仍高於二四四元。

很多下崗工人領津貼的同時，兼具個體戶、私營企業戶、國有企業外圍的三資戶、三產戶等等身份，這些稅務機構難以企及的經濟實體，所涉及的流動資金，未稅利潤，到底有多大，誰也搞不清楚，只能說很大！很大！就和台灣的攤販文化一樣，是上海人主要的收入來源。

設籍上海的退休工人、退休幹部，收入遠高於下崗勞工工資，月入將近千元，高於千元的亦不少見，特別是以高級工程師、管理師、高幹職位退休的人。除了特困戶，除了例外，一般上海家庭都有雙薪或以上的收入，正常家庭月入二千元以上。以官方公佈的「平均工資」做為上海工廠的參考數字，顯然偏低。

上海是工商發達區，業務往來交際應酬的頻率高於全國各地，所以公款消費是主流做法，更是創造個人額外收入的重要來源，是有「花頭」可報，有「花頭」可收的地方。任職上海某國有營建公司的部門經理跟我搶著買單，坦言他個人每年就有報銷近四十萬人民幣交際費的權限，而且是合法的；交際費竟然是年薪的二十倍。

上海有最多的外資外商在上海設聯絡處、辦事處、籌備中心或進行實體性的投資，需求的人力素質，可以說是大陸最高的，外商們亦為此付出全大陸最高的薪資水平。在外資企業上班的人，不說交際費，單是薪資月收入達萬元的已不在少數，幾千元已是平常的月俸。技術勞力工資的收入，已經不能用二四四元的想法去推論，以為上海人工資的收入低。

非生產性的服務業，漸漸成為上海市主要的事業形態，例如金融、貿易、管理業、娛樂餐飲業等，其從業人員的收入遠高於國有企業員工。由於掃黃風頭強勁，連台商經營、暗中雇用非法三陪女的酒店與ＫＴＶ，小姐們的底薪也高得離譜，向客人索討的小費、坐檯費就更高了。

大陸各種單位都能名正言順地從事商業行為，而且越是標榜非營利的單位，賺錢的名目越多，像是顧問費、事業研究費、輔助費、贊助費等額外的收入，有明的有暗的，幾乎全部不用課稅。明的如某企業和復旦大學進行科研合作，即贈送數十套住房為交換條件，暗的更大於明的，徐匯區爆發的貪瀆案，就是因為編派名目所涉及數字過於龐大，已經到了路人皆知的程度，檢警公安難以坐視。

對沒有「花頭」可搞、不會搞花頭、沒有本事的人，只靠退休金、下崗工資或單一薪資收入，不添衣、不生病，每月三百元已經足以維持全家（二到三口）

三餐溫飽，他們的收入當然大半進了肚子，不會有儲蓄。

每月收入二千左右的上海家庭，大部分會存點錢，用來炒股票或當作購房基金。由於一胎化，上海父母對子女教育的支出如才藝學習費、補習費，相當勇於支付手不軟，因此你可以看到影星成龍廣告的低階電腦學習機大作廣告。

少部分人仍不改大鍋飯心態，覺得即使吃空花盡了還有國家照顧，因此不願放棄即時的享受，也為了維護面子，還是勇於吃喝玩樂，對新鮮的吃法、玩法有興趣，也是造成新店開張初期顧客蜂擁而至的消費假象的根源之一。可是對實質收入達到數千或以上的人而言，支出的內容，不但多元，而且複雜。

天生的理財專家

實際收入達到數千或以上的上海人，和已開發國家資本主義社會沒有兩樣，有消費、有理財（注意呦，上海人即使只有幾千塊人民幣的財也能理）。上海人的投資行為比台灣還多元，不但炒股、炒匯、炒房是他們的最愛，更要炒個人嗜好又能賺錢的郵票、錢幣、古董、字畫，圈內人的交易市場比台灣發達；此外還有賭球，賭甲A、賭申花的輸贏外，也賭英超、德甲、意甲……，台灣的職棒簽賭只是小case。（甲A、申花：大陸甲組足球聯賽，上海的足球隊名申花。英超：英國超級聯賽；德甲、意甲：德國與義大利的職業足球聯賽。）

由於好面子，帶有炫耀心態，因此上海人對於娛樂選擇，要新潮的、有水平的、刺激感官的、不落俗套的。而商家領略到的就是新鮮感一過即門可羅雀。

外表一眼就看得到的衣飾，上海人講究的是品味，要能凸顯不同特色的才願意選購——說穿了就是愛名牌，價格是不太考慮的。我住上海這麼久，穿的全在當地買，但不少本地人不用說話仍看得出我是外地人，因為眼鏡、皮帶扣、戒指等配件洩了底，可見他們多麼仔細打量別人的外表。

國內旅遊上海人頗不屑，旅遊經的內容要離開大陸，如在澳門拼賭的心得，在香港、泰國、澳洲遊歷的經驗。至於飲食，大魚大肉不是重點，重點是要有特色，要有氣氛，才能吸引他們早已嚐遍各式美食的胃口。台商朋友聽我這麼說，若有所悟地表示，原來上海人只吃氣氛，難怪他們進來只點一杯啤酒就坐整晚。

說到這裡，相信你對上海人處理錢包的方式能夠改觀，絕對不能和我當年一樣，以住在花園酒店、希爾頓酒店的觀光客眼光和腦袋去想。我深入接觸多位月薪一千多元的上海朋友之後，才知道對方擁有數套上海的房產，甚至國外有存款戶頭、有資產、有投資事業，這才搞清楚上海人錢包的複雜，不但有數不清的灰色收入、自己不花一毛錢的灰色支出、坐領紅利的灰色投資，更有可以支配的灰色資產和灰色資源。

上海、甚至大陸人的錢包都不只有薪水收入，不能以台灣人的賺錢思惟去看上海人，認為上海人、大陸人的所得以薪資為主，以為上海的物價低。事實上，很多上海人比台灣人富有，不但敢花，還敢於投資，更會理財。

後記

認識上海放眼大陸

上海、浦東，長江三角洲的龍頭，地處華中，北上南下西進，等距離的優勢無可取代。上海的面積僅佔全中國的千分之一，產值卻是全國的八分之一，財政收入上繳中央佔年平均歲入約六分之一。

世界五百大公司中近三百家、一百大工業集團近五十家，都已經進駐上海，上海有六百多所大學院校和科研機構，一千多個跨國公司與大型企業的研究所、研究室。這裡有外資銀行一百七十多家，金融機構兩千七百多家，證券市場有九百多支上市股比台灣還多。

上海的社會消費品年零售總額已達一千五百億人民幣，約合台幣六千億，這是所有生意人為上海癡狂的原因。

有關上海的傳說太多了，說也說不完。上海的開發，在清末民初列強租借上海的年代，是第一個高峰，造就上海成為亞洲的金融中心，上海灘、十里洋場之名馳名世界還流傳至今，大導演史蒂芬史匹柏在「太陽帝國」中，就鮮活地重現了當年上海對各國的冒險家的魅力。

北伐開始歷經八年對日抗戰，然後國共內戰，共產黨解放上海，進而經歷文革、紅衛兵的年代，上海的建設停頓了。外灘原匯豐銀行總行門口有兩隻銅獅，極度傳神地象徵著上海，這兩隻銅獅一睡一怒，文革時期的上海正如睡著的那隻銅獅，閉上眼睛不理人，但蘊含驚人的爆發力。

在福建、廣東因作為改革開放的試點而飛躍進步的時候，上海人的狐疑保守受到調侃，市區裡的老舊工廠和破爛房舍，讓初抵上海的我輩台胞訝異：這就是上海？怎麼暮氣沈沈的？市中心居然有工廠在燒煤炭！

如今的上海就像另一隻張眼瞪人的銅獅，威嚇的眼神炯炯，沒有人敢質疑她萬獸之王的地位。上海只用五年就彌補了半世紀的停頓，僅用五年的時間就脫胎換骨，原本入夜後漆黑一片的上海灘現在徹夜燈火通明，十里洋場的光彩比半世紀前更炫更燦爛。

拿破崙曾經說過：「中國一旦覺醒，天下震動」。匯豐銀行前那兩隻銅獅，充分傳達這世界對中國人的看法，匯豐銀行似乎也以這兩隻獅子寓意自己：該收欲避禍時，就要閉目養神蓄積再起的實力，於是這個以「上海」為英文招牌的銀行轉進香港，該搶該爭時，就要爆發實力，抓住機遇，不能讓機會流失。

只看交通建設就足以輝映上海的驚人進步。九〇年代初期，道路狹小，人多車擠，耗時費力，根本就是名不副實的國際商業都會。我經營的工廠在閘北共和新路上，家住在徐匯區，約八公里路程平均得耗時七十分鐘，上下班是煩人的惡夢！記得有次下雨天，竟然耗了三小時才到家。工廠投入生產時，我還向台灣的朋友說：上海比台北還擠十倍，以後恐怕更擠。可是如今，內環、外環、郊環、三環交通網完成，配合「申」字開頭的連接道路，到工廠走高架橋只需要半個小時。

更驚人，讓人恐怖的是，由徐家匯住處到虹橋機場，以前搭機時，交通時間要多計一個半小時才保險，如今全程走內環線高架接延安路高架，沒有紅綠燈，十五分鐘就到機場。所經過的橋與路，建設的時間僅費時三年就完成，真的是不

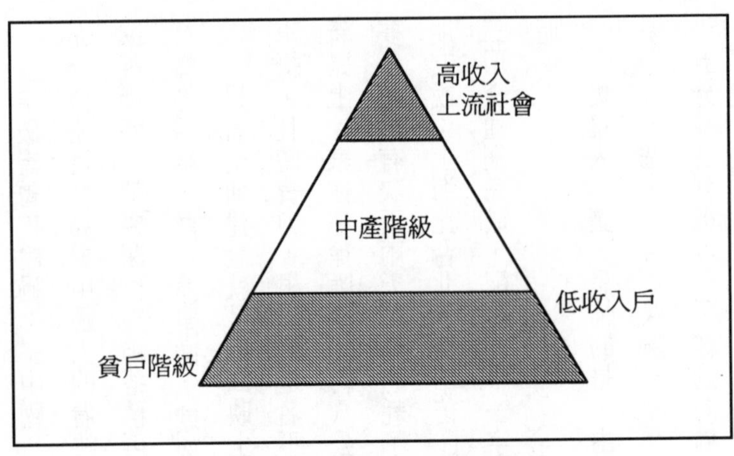

圖一：民主國家社會結構

可思議，我只能以「恐怖」來讚嘆。

全球知名公司紛紛進駐上海，證明所有人都認同「征服上海，就等於征服中國（市場）」的說法，但如何認識上海，你絕對可以聽到幾百種說法，情形就像瞎子摸象，但決策草率的台胞更像是「瞎子摸獅」——還來不及描述自己摸出什麼就被上海吞了。

社會結構

所有的資本主義民主國家的社會結構，圖型化以後，成為金字塔型，如圖一。

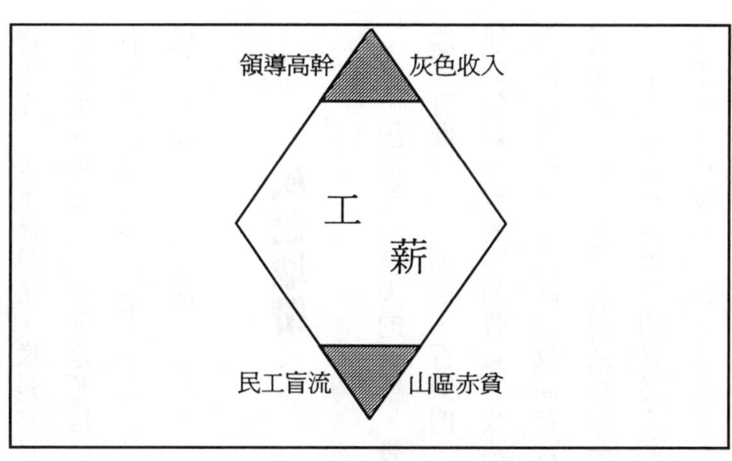

圖二：大陸都市社會結構

上海等大陸都市的社會結構以收入來區分，卻是豎菱形的，如圖二。

工薪階層只有工薪收入，一輩子靠國家養，是大陸最大的族群。山區赤貧民工盲流依然存在，政府正致力用輔導政策，企圖減少此種階層的人數，例如扶貧政策即為其中一種。改革開放這麼多年後，極低收入者為數仍多，但佔總人口的比率卻不高，上海尤其如此，收入分布形成尖底形。

領導高幹特權階層，有公款可支用，少數掌權者本來就高高在上（大陸的大企業幾乎全部都是國營，總經理、總裁都是公務員）。另有一種人，他們的收入見不得陽光，也不能聲張，像是貪官污吏、個體企業戶、有國外親友匯款收入戶，所得泛稱灰色收入，也就是源自於非正常的經濟活動（大陸幾乎沒有富商，叫得出名字的幾個私營企業家如今有一半在坐牢），這群富人階層佔總人口比率亦極低，形成菱形的尖端。

灰色地帶

中國高級經理人的職銜，幾乎全部源自於背後的政治實力，也幾乎都與灰色收入有關係。集團的、行業的、地方性的、鄉鎮集體的、全民所有制的，不同型態的公司，代表不同背景的政治實力，因而形成捍衛特定利益的保護主義。台灣人搞政商結合，大陸的政商結合更牢固——二者根本是一體的。台灣和大陸的市場經濟一樣，是沒有政治背景的小老百姓玩的。

大陸各經濟勢力的保護主義有多嚴重？朱鎔基總理說不惜替自己準備最後一付棺材，也要軍、政、法體系和商業脫鉤，擺明不懼山頭勢力反撲。最高執政者都忌憚，台外商人當然要巴結。

大陸法令多如牛毛，卻還是「人治」的地方，亦即政府行政管理體制外，另有體制存在。例如行業內的、地方性的特權利益集團，自行訂立便宜行事的體制，對中央陽奉陰違的體制。地方政府為了促使地方或地區的繁榮，改善人民的生活，增加百姓的收入，在這冠冕堂皇的大旗下，地方或地區較守法的經過修法、立法，制定有利的單行法規；不守法的地方政府乾脆用「內規」，施行自訂的法制，以防止肥水外流，保有肥水以自肥。法規原本黑白分明，地方政府卻假借單行規章搞「內規」，形成法令的灰色地帶，官官相護炒地皮即屬此類。

中央給台商的優惠政策是「兩免三減半」，地方為了引資，不惜以五免、十免當政策，且不管此政策是否違法、是否可行。反之，有些一體適用的優惠政策則以單行法規為名，變相用行政命令打折扣施行，甚至不執行，例如對土地的使用權的規定，購房、置產、定居、人身安全、衛生防疫、勞工、關稅……種種的政策，都可以發覺有不同的施行標準，優惠政策有一大片灰色地帶存在，端視對地方（也就是對自己）有沒有好處而定。

以美國為首的國際社會，想以加入WTO迫使中國開放市場與法令透明化，但政治實力決定經濟發言權的國際舞台上，中國真的會因為加入WTO而任由外國企業縱橫馳騁嗎？灰色陰影地帶會在WTO的陽光變得透明嗎？美國批准中國獲得PNTR（永久最惠國待遇）的過程中，引起偌大爭議，可見國際社會對這頭睜開眼的獅子有多麼不放心、不信任，台商想在開放的中國市場從事自由競爭，恐怕也只能僅止於想想。

不要說中國的市場，台商光是上海的商圈都搞不定，然而鎩羽而歸的原因卻泰半是非戰之罪。台灣的開店老手，絕對不能以島內經驗去推測上海的商圈演變，絕對不能以台灣的賺錢經驗來上海管理店面。這裡的商圈可用動遷、批租的方式，一年之間讓地表完全變了樣，發展的方向當然是「利己」，一切以有利本國事業為依歸。

有太多的外商投資者掉在灰色商圈中（似商圈非商圈），難以自拔、進退失據。舉個例子，北京王府井麥當勞已經成為地標，租約才剛開始幾年，當局叫外商搬就得搬；上海幾條高架道路三年就完工，若干原本擁擠的路段突然變得暢通，意謂人車改從頂上過，門前的流量大減，過客減少了駐留的時間與機率，沿線的商家大嘆生意難做，情形有點像台灣的馬路拓寬後生意反而變差了。

灰色的關係

連外商都知道，找中國合作對象時，公開說明書、財務報表、會計師公證都不如打聽對方的背景怎樣。中國人的關係是晦暗的，因為介於合法與不合法（可能還不到非法）之間的灰色地帶，「太子黨」的稱謂，含意貶多於褒。不像台灣商人，三重幫、上海幫、台南幫的名號可以堂而皇之出現在報紙要聞版面。

「廈門遠華貪瀆集團」、「湛江走私集團」、「北京陳希同市長亂紀集團」……，為什麼能坐大？形成特權集團的山頭勢力讓百姓深惡痛絕，但非到膽大妄為了才被揪出來？能還人民多少公道？關鍵就在中國人把「關係」視為正常狀態，高官以合法包庇非法，將灰色地帶悄悄延伸開來，高官依舊「廉潔自持」，裙帶、血緣、門生、故舊、同學朋友組成的「關係」企業開枝散葉，非局內人根本就搞不清楚，和這些有來頭集團來往的外資台資更不可能摸清，原本以為大大好用的關係變成連累。

外商台商選擇以上海作為進入中國的門戶，法令的透明程度最高是主因之一，但長駐此地的人都知道，上海執法最嚴，而上海人玩出來的「灰色地帶」也最高明，官方的說法是：「現行法令中尚未明文規定的模糊地帶」。像是官方文件顯示區以下的政府單位、集體單位經營第三產業（服務業）有聲有色，實際上是台商港商在搞餐飲、婚紗攝影。

大陸人看不起台胞

上海人，不！應該說是多數大陸人，相當瞧不起台灣人。大陸人並不覺得台灣人有什麼能耐，今日的繁榮富裕也沒什麼了不起，一不丁點兒大的蕞爾小島根本不堪中國出兵一擊，兩百億美元的逆差證明中國正在養台灣，還有，台灣人有錢沒品。

素昧平生的上海客人到我火鍋店裡消費，大放厥辭說台灣人有錢是因為當年偷了黃金。今天有錢到上海投資賺錢，是因為中國開放給的機會。大陸有飛彈打台灣，台灣的飛彈打得到福建就不錯了。南斯拉夫使館被炸，中國人敢包圍上海美國領事館，台灣人敢嗎？敢和美國人對幹嗎？

三教九流客人的知識水準不高，妄發議論的觀點沒有必要去計較。可是當你碰到院長級、教授、主任醫生、高級經濟師、管理師、董事長、總經理、廠長之類的高學歷、出過洋的博士、留過學的高級知識分子，他們不帶情緒性的字眼，當面毫不客氣的貶抑台灣人，這時你不禁大吃一驚！台灣人，真的是自侮而後人侮之。

從科學技術、醫學、生化、環保聊起，直至教育、學術研究，做學問的態度，他們承認台灣的優勢強項好幾個，如電腦、晶圓、電子零件和敬業的精神，令人信服。也承認大陸有很多需要向台灣學習改進的地方，例如不學無術的官僚、靠關係走後門的風氣，該改的制度尚未改，經費不足要自己找等等，是有很多不足的地方。

說到對台灣人的看法，他們讚佩不少在國內外接觸過，有學識有涵養的台灣人，可是那只是鳳毛麟角。在上海，他們沒有見到幾個台灣人值得欣賞，看到的盡是些靠錢橫行的台灣人，認為台灣人帶給他們的是一些亂七八糟的文化。台灣人，他們看不起！這幾乎是共同的結論，他們覺得台灣人給上海人帶來的竟然是：

享樂文化　不吝吃喝玩樂，花錢上館子、唱KTV，小費非常大方。大搖大擺摟著小女孩逛街買衣服、化妝品、買家電，甚至買房子，糟蹋中國婦女。

錢爺文化　到處花錢送禮，買關係買人脈走後門，以為錢可以解決一切事情。一位主任級醫生說，病都沒看完，台商就表示要送錢——莫名其妙，以為上海人都愛錢。未免太瞧不起上海人。

泡沫紅茶文化　滿街的泡沫紅茶店、攝影禮服店，好像台灣人的專長只是賣茶、拍照，怪不得除了少數高科技產品外，其他產品的品質一般。

他們眼中的台灣人，和其他的外商比起來，知識、談吐的水準不高，喜歡投機，比較沒有守法的觀念，大聲喧嘩、目中無人……。

明白自己的處境

早些年，台灣人到大陸，縱使僅是觀光的過客，受到敲鑼打鼓，得到夾道歡迎也是常有的事。考察投資環境的人，就更不得了，地方的最高領導人，只要有機會，必捧為上賓，視為天之驕子，唯恐接待不週，說明不夠清楚，優惠條件不夠優惠的話，根本不管是否違法可行，先開了條件再說。

九五年以前，可說是台商在大陸的黃金歲月，紅得不得了。中國人縱然心底不是很服氣，但為了眼前的利益，只得跟現實妥協，處處巴結台灣人，滿足台灣人的需求。台灣人被美言美酒美女哄得醉了，真以為自己不得了、了不得，於是一頭栽進大陸，造就第一波的大陸投資熱。

後來的發展，台灣人都知道，大陸的錢沒那麼好賺，美言美酒美女，僅是在考察階段才有，僅是在投資的蜜月期才有，很多台商至此才發覺：大陸人的口才比台灣人好，辯論賴皮的能力，台灣人沒有辦法比，更可怕的是邏輯組織推論的能力，台灣人輸輸去，根本無法比。

原來，台灣人接觸到的大陸人，投資合資的對象，或是業務往來的，或是打交道的，或是聘僱的中方幹部，都是千中選一，萬中挑一，能言善道的高手。以前不計較，不能說是扮豬吃老虎那麼難聽，是因為不想計較，怕煮熟的鴨子飛了，怕待宰的肥羊跑了，怕到口的肥肉不見了。

投資到位，機器設備安裝妥當，試車也順利後，發生豬羊變色最快的實例，在宜山路的印刷電路板工廠發生。不到半年，合資中方開始挑剔，開始找毛病，連籌備階段博得台方十足信任的主要幹部也開始反駁，開始強辯，台胞受不了鳥氣，一氣之下，想撤資撤不了（違約要沒收資金），不得不拱手讓出經營權，給中方承包，王老闆變成王小弟，最後在虹梅路賣燒烤。

台灣人在上海，要明白處境，自己是踩在別人的土地上，不能當錢爺，以為有錢可使鬼推磨，還有可以信任的上海人幫你賺錢給你花。要明白自己如同處在一個「漩渦」般的大環境中，自己是在漩渦的中心，周圍有無數的人在等你、看你、欣賞你的掙扎，更有灰色的體制、法制、政策、市場、人脈關係環繞伺候著你，如何不滅頂，不屍骨無存，端賴你以全部心血去突破求生，終至脫離漩渦，

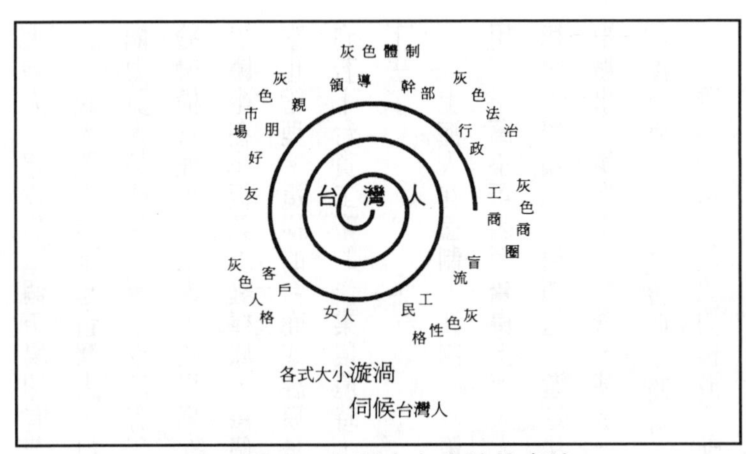

圖三：台灣人在大陸的處境

達成投資的目的。沒有人可以信任，沒有人會替你省錢、替你賺錢，除了你自己。

尊重上海、博得尊重

要喝黃浦江的水、吃松江的大米、南匯的水蜜桃、奉賢的黃桃，你才能欣賞外灘迷人的夜色，享受十里洋場的繁華。我的意思是，要尊重上海。

台灣人倚重台灣經驗，這是正確的做法，但是誤以為大陸人真的同文同種同樣想法，卻犯了嚴重錯誤。大陸人的工作觀、道德觀、價值觀、交際觀、處事觀都和台灣人不一樣，想以台灣經濟奇蹟凌駕大陸人，想攻佔這個市場卻有著與本地人格格不入的思考模式，當然一敗塗地。

說大陸人看不起台灣人，但台灣人又何嘗瞧得起大陸人。台商用強勢的經濟能力買人脈關係、買法令沒有明文規定的模糊地帶、買小老婆，用可貴的台灣經驗蠻橫管理大陸工人，讓男男女女住在蚊蠅亂飛的宿舍裡，我親眼目睹幾百名女工蹲坐在小板凳上縫棒球，每個人的操作空間不到八十平方公分，還美其名為軍事化管理。這樣的台商或許只是少數，卻給大陸人普遍的惡劣印象，我和朋友提到若干台資工廠的作業環境時，只見對方的大陸老婆默默地把臉別開，實在聽不下去了。

上海人在體制、法制、政策、市場、商圈中玩出來的灰色地帶，台灣儘管利用，千萬不可因而覺得上海、大陸是個可以「玩」的地方，玩弄這裡的體制、法律與人際關係。要知道，遊走法律邊緣或輕忽玩弄的台商，大陸人可以立刻照規矩辦事，讓你不只撤資，甚至一輩子禁足不許入境中國，有個搞塑膠射出和禮品的朋友就是這樣被沒收了將近一億台幣，徹底和中國說拜拜。

雖然知道有灰色的經濟活動存在，有人利用法令的灰色地帶興風作浪，做不公平的競爭，我們還是需要尊重大陸——利用這樣的環境、戰戰兢兢地觀察變化。不要認為大陸的人治讓你格格不入，不要認為錢可以擺平問題，不要認為內外環境有安定的時候。

總有台商在獲得初步成功之後，就認定「業務大致上軌道了」、「終於穩定了，可以鬆一口氣了」。大陸還在急速變遷當中，沒有任何人事物說得上穩定，上海長壽路的某商廈是台商投了大筆資金經營的，輕忽了市府動遷計畫，輕忽了上海市未來交通的動線變動，沒有地鐵、沒有輕軌經過，人潮數量銳減，再佳的經營團隊，再好的台灣經驗、經營策略和管理制度，最終還是不敵上海人口和商圈的轉移。

不只投資，移民上海的人要活得好，活得舒服，就要尊重上海人。要尊重上海人的想法，尊重上海人的人格特質，沒有必要批評上海人高傲、自私、勢利、現實、聰明而不精明，孤芳自賞看不起南方人，瞧不順眼北方人，不屑與外來民工為伍，眼高手低，自以為是。你能說出這麼多上海人的「特色」，證明你很了解他們，為什麼你不利用這些體認，放下身段，融入上海人的生活。

如何尊重上海人

對領導，對高級幹部，對眾多高學歷見多識廣的上海人，和他們交往，就要拿出真才實學，吹牛說大話，只能瞞騙一時，得不到尊重外，更會讓他們瞧不起。況且，上海可說是全大陸法令最透明、行政效率最好的地區之一，迷信於搞關係、靠人脈，在上海，所冒的風險也最大。例如在徐匯區近年揭發的貪瀆案中，就有數位徐匯區的領導幹部牽涉其中，投資於這些關係的台商、港商，不只吃了大虧，甚至惶惶不可終日。有人說，上海的灰色經濟活動最兇，但也因為在上海才會被揭發、被嚴肅處理，在其他地區可能沒事，如此這般的話，值得深思。

新新人類e世代的上海人，同樣有哈日族、哈美族、哈韓族的存在。這群高中生、大學生，剛入社會的新新人類，是七九年改革開放開始實施前後幾年誕生的族群，他們沒有懷舊感情的負擔，不知道文化大革命、大飢荒、紅衛兵時代是啥模樣，在一胎化制度下獨霸親情疼愛，是最早享受改革開放成果的人。

因此他們坦然享受改革開放的果實，思維模式和老一輩的上海人不同，面對百花齊放的上海經濟，他們有一套獨特的看法，勇於嚐新、勇於求變，不戀舊。新新人類染髮、穿耳洞、穿鼻孔，不要以為西方才有，在上海已經不是話題，怪模怪樣的奇裝異服不稀奇，上網吧打保齡球喝泡沫紅茶，已經過時了，台灣有的流行玩意，新鮮的玩法、新的口味、FM2、迷姦藥、迷幻藥、鴨子餐廳（台灣稱星期五餐廳）、同居、試婚，有關「性」的玩耍花樣，都有。唯一沒有的，可能僅剩牌照管制下、費用太大的飆車族還未出現。

對新新人類e世代的想法，不能用看領導、看幹部、看共產黨那套模式理解他們，同樣要尊重他們，因為他們已經是上海最具活力、最有消費能力的族群。呼嘯來我火鍋店裡的年輕孩子，每個人都有能耐從六個口袋裡掏錢（爺爺奶奶、外公外婆、爸媽），消費實力可厲害著呢。

除了青少年，還有一群新崛起的消費者特別值得重視。就是學歷高、有專長、有工作慾望，年紀輕輕卻收入不低的粉領族群。她們擔任外資企業助理、文秘、翻譯等職位，薪資高於一般水平。她們追求時尚，出手的大方和勇氣，和台港西方社會的上班族沒有兩樣，甚至超越，上海粉領族使用在添衣、購物、美容、健身、瘦身、喝咖啡、逛主題餐廳等的費用，佔薪資收入的比率，高得嚇人。你要是不信，可以問問在上海搞自然美的蔡燕萍，她的大樓營業面積多達二十層樓，實在驚人。

這群粉領族，自信、自大、自傲、敢爭、敢辯論、敢評理，凸顯自我個性的企圖特別強，絕對和台港日守本份、圓融、遵守企業文化的特質不一樣（說實在的，上海女人的秉性是比南方女子潑辣）。粉領族絕對是實施改革開放後才有的新興族群，給大男人的第一印象，絕對是美好的——能力強、反應快以外，善用身材面貌的優點，懂得穿著打扮亦是成功要件之一；絕對不同於台商接觸過的幹部：晚娘面孔、老女人。她們的思想是先進的、前衛的，想改就改，不和人商量，是最有自主思維，不受傳統禮法限制的族群。

在上海，要尊重上海人，尊重他們亦有不同領域的思想觀念，別以為兩岸真的同文同種、對人對事的想法都相同。很多人因為外國人的風俗不同而大感興味、喜歡出國玩，如果你以類似的玩味異國民風心態住在上海，就能活得好、活得舒服。

雙向八線道的肇嘉濱路

長約四公里，改造工程不到半年就通車，建築速度之快、改造商圈之速，是活生生的教材，千萬不要輕忽官方搞重點工程的威力。

徐家匯的太平洋電腦市場

這是一處新興的電腦與周邊產品市場，數年前台商在四川路開發的電子一條街已經被徐家匯電腦市場取代。

徐家匯的百腦匯電腦市場

旁邊就是太平洋電腦市場、交大慧谷電腦市場……，徐家匯對上海人來說，就像咱們台北的光華商場。

徐家匯的太平洋百貨

她是外商百貨公司中唯一賺錢的一家，但好景不常，旁邊的商廈如雨後春筍般快速崛起，三年不到就吞沒了這棟地標建築。大陸競爭對手態勢之兇猛，可見一斑。

外灘的中國外匯交易中心

在壯麗的上海灘夜景中，這棟小小的建築實在不起眼，但沒有人敢小看她的影響力。

上海博物館

位於人民廣場邊，她的收藏當然比不上我們的故宮博物院，但建築氣勢恢弘，足以輝映大國風範。

上海城市規劃展示館

想在上海投資，建議你到座落於人民廣場邊的這棟建築尋找資料，以免選到動遷在即的商圈，誤以為沒落地段有金可淘。就算純粹觀光，這棟建築本身就極富造型之美，值得一遊。

上海歌劇院

堪稱中國現代文化的代表建築，三大男高音、皇家愛樂、波士頓等等拔尖演出者已經在此登台過，硬體設備也是一流，光是參觀門票就得五十元人民幣。

沒落的七重天

想起來了嗎？多少文人筆下與民初小說中出現過的七重天舞廳歌榭，旁邊是「正港的」先施百貨、現在名叫華聯商廈，在櫛比鱗次的大樓之間，十足顯得風華盡逝、落魄無奈。

上海灘夜色

初來乍到的觀光客、外地人，看見外灘的夜景，沒有不驚嘆震懾的。即使手持傻瓜相機，你還是不停地按快門，想把這份壯麗景致帶回家。

南京路步行街

1999年9月20日正式開始啟用，全長1033公尺，上百萬的人潮匯聚成一望無際的嚇人場面，讓人誤以為商機無限。注意到了嗎？畫面中的人，沒有一個手上提著剛買的東西，看的人滿坑滿谷，買的人寥若晨星，這就是上海。

上海的傳統菜市場

大太陽傘、棚架、現殺現宰的販售方式，很眼熟吧。上海的菜市場貨色不差，價錢有夠便宜。建議穿著樸素、殺價還價、斤兩計較，否則一定被當成呆胞。

國家圖書館出版品預行編目資料

移民上海：我的台灣經驗遇上海派作風／陳彬著
--第一版 .--台北市：商訊文化，2000〔民 89〕
面；公分 .--（四季報投資系列：2）

ISBN：957-8733-37-2（平裝）
1. 上海市
672. 19/201. 8　　89015160

四季報投資系列　2

移民上海──我的台灣經驗遇上海派作風

作　　者　陳　彬
總 經 理　陳永誠
叢書經理　陳絜吾
企劃經理　江希陸
美術編輯　邱欽男
電腦排版　應慧工作室
出 版 者　商訊文化事業股份有限公司
地　　址　台北市大理街 132 號
電　　話　（02）23380861（代表號）
傳　　真　（02）23084608
郵政帳號　19044738
郵政帳戶　商訊文化事業股份有限公司
印 刷 廠　利全美術印刷製版有限公司
總 經 銷　育智圖書股份有限公司
地　　址　台北縣板橋市松江街 21 號 2 樓
電　　話　（02）22518345

2000年10月第一版第 一 次印行（　1～3600 本）
2001年 2 月第一版第 二十 次印行（38001～40000本）

ISBN　957-8733-37-2　　定價　240 元